제복의 여인

치유와 영성의 길을 걸었던 한 여인의 회고록

김형선

김형선

김형선 작가는 국군간호사관학교와 광주대학교를 졸업하고 WLI에서 석사 및 박사 학위를 취득했다. 의료 분야와 영성 사이에서 독보적인 경력을 구축했으며, 기독교한국침례회 나눔침례교회 사모, 재활병원 간호과장, 은혜너싱홈 원장으로 활동해왔다.

교복에서 군복, 그리고 간호복까지, 그녀는 50년 동안 다양한 옷을 입으며 자신의 정체성과 전문성을 탐색했다. 패션에 대한 열정은 그녀의 자기표현과 파스널 브랜딩의 중요한 부분이 되었으며, 성경 연구를 통해 옷이 영혼에도 필수적임을 인식하게 되었다. 이 책을 시작으로 개인의 정체성과 영성의 성장을 돕는 글을 쓰고자 한다.

50년 동안 간호사복을
입어 온 사람의 이야기

목차

2막 성장

3막 열매

4막   추수

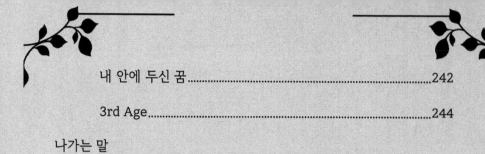

나가는 말

들어가는 말

의, 식, 주는 인간 생활의 기본 요소로서 이 중 옷은 단순히 몸에 걸친 것 이상이며 입는 사람의 지식, 감정, 의지의 표현이자 정체성과 퍼스널 브랜딩이다. 나는 패션과 스타일에 관심이 많다. 어린 시절 여자아이들이 흔히 하던 놀이인 종이 인형에 옷 입히기를 즐겨 했고, 여고 졸업 후 국군간호사관학교 생도 시절에는 제복을 입었음에도 당시 귀하던 외국 패션잡지를 구해 설렘으로 책장을 넘기던 기억이 난다. 여고 시절 하복과 동복 사이 입을 간복 결정을 위한 몇 명의 학생 모델로 단상에 섰던 기억도 문득 찾아와 '언젠가 시니어 모델에 도전해 볼까?' 하는 생각도 가지고 있다.

세월이 지나 하나님을 만나고 성경을 연구하면서 옷이란 단순히 몸뿐 아니라 영혼에도 입혀야 하는 필수품임을 깨닫게 되었다. 또 성인으로 들어서며 내가 입었던 간호장교 복장이 하나님께서 택하신 나의 부르심 표지, 즉 치유 사역의 리더였음을 무려 퇴역 14년이나 지난 후 깨닫게 되었다.

성경에 나타난 옷은 신분, 인격, 생명, 존엄성을 상징한다. 그동안 내가 입은 교복, 군복, 교사의 옷, 간호복, 목회자 사모 옷들은 나의 외부 영역과 역할을 정의하며, 나의 내면은 그리스도로 옷 입혀져 하나님의 전신갑주로 무장된 여생을 입을 제복이 되었다. 삶의 여정에서 필연적으로 입었던 옷들은 삶의 목적을 향한 표식이자 완성의 길로 이끌었다. 내가 입었던 교복은 배움의 장에서 직업의 길로 인도했으며, 군복을 통해 리더십과 순종을 습득했다. 교사의 옷은 실무지식 및 지혜를 가르치게 하였고, 현재까지도 입고 있는 간호복은 상처입은 자들 향한 돌봄과 치유의 소명을 강화시켰다. 그리고 목회자 사모의 옷은 더 많은 이들을 품고 같이 울고 웃게 하며 내 내면을 그리스도로 옷 입혀 왔다.

지금까지 입어온 이 제복들에 대한 이야기는 자전적이며 후손들에게 남기고픈 유산이자 사랑하는 다수에게 들려주고 싶은 나의 영, 혼, 육에서 용솟음쳐 흘러나오는 활자를 입은 생명이다. 옷은 몸뿐 아니라 혼과 영에도 입혀야 하는 전인적 필수품이며 자신의 과거, 현재, 미래를 대변하고 규정짓는다. 이 자전적 에세이를 통해 유일무이한 자신만의 옷 입은 이유를 발견하고 소명의 길을 함께 걸어가는 수많은 이들을 믿음의 눈으로 바라보며 벅차오르는 가슴으로 글을 이어가고자 한다.

"너는 나의 비밀병기라!"

우리는 현재 왕성하게 활동하고 있는 사람들을 바라보면서 때로는 실족할 때가 있다. 비교되고 나아가 자기 연민, 자기 비하, 열등감에 빠지기 때문이다. 이러한 낙심은 하나님께 버림받고 잊혀졌다는 원망으로 발전될 수 있다. 소망이 더디 이뤄지고 인내심이 바닥났기 때문이다. 하지만 2006년 10월 16일, 내게 말씀하신 '비밀병기' 라는 단어를 두고 묵상하면서 나는 새로운 사실을 깨닫기 시작했다. 1994년 소령으로 퇴역한 나에게 거의 잊혀져 가는 호칭인 '간호장교'라는 명칭이 2007년 14년 만에 갑자기 큰 의미를 가지고 내게 다가왔다. 나의 평생에 하나님께서 가지고 계신 비전이 그 명칭에 모두 함축되었던 것이다.

하나님께서는 나를 치유사역자이자 군사로 부르셨다. 그것도 '비밀병기'로 말이다. 하나님께서는 목적을 가지고 나를 이끌어 오셨으며 '비밀병기'가 되도록 훈련시켜 오셨던 것이다. 나는 도처에서 '하나님의 비밀병기'로 훈련되어지고 있지만 그 사실을 깨닫지 못하고 외롭고 의기소침해 있는 나의 동지들과 이 책을 나누고 싶다. 서로 얼굴도, 또 이름도 모르지만 엘리야 시대의 칠천 명처럼 당신은 혼자가 아니다. 하나님께서 비밀리에 숨겨두시고 지금까지 사탄에게 노출되지 않는 방법으로 훈련시키시다가 당신이 필요하신 때 가장 적합한 임무를 주실 것이기 때문이다. 하나님께 자신의 영, 혼, 육을 다 드렸음에도 쓰임 받지 못하는 처절함이 혹시 대중들 뿐 아니라 가장 가까이 있는 사람들에게조차 인정받지 못함에 드러나고 싶은 욕구는 아니었을까? 하지만 '하나님의 비밀병기'인 당신들에게는 이 모든 것들이 해당 없다. 왜냐하면 당신들 개개인에 대해 하나님께서 분명한 계획이 있으시고 대부분 그 일들은 적들뿐 아니라 대중들에게도 감춰진 일이기 때문이다.

자, 그러니 전혀 새로운 일들로 하나님의 부르심 받더라도 놀라지 말고 두려워하지 말라. 암탉이 병아리를 품고 있듯이 성령님께서 당신들을 보호하시다가 도처에서 훈련되어진 '비밀병기'들을 한 사람, 한 사람 부르셔서 임무를 주시려고 하신다. 당신들의 때가 왔다. 사람들을 전혀 의식하지 않고 하나님만 바라보는 마지막 시험에 통과되었기 때문이다. 이제 당신들은 하나님이 명하시면 전혀 의문이 없다. 오직 순종만 있을 뿐이다. 일본의 가미카제 특공대처럼, 중동의 자살폭탄처럼 이제 당신들은 하나님의 폭탄들로 하나님께서 당신들을 정확한 시점에, 정확한 장소에서 터트리실 것이다. 수없는 시간과 훈련을 통해 하나님의 형상을 본받은 자들이 되어 하나님의 나라를 전하고 세우는, 어떤 난관에도 믿음과 정결함으로 무장된 사랑의 폭탄을 터트릴 용사들이여! 이제 일어나 빛을 발하라. 하나님의 소집 나팔소리를 들으라!

1막 씨앗 뿌리기

이미 뿌려진 씨앗

길

노란 은행잎 물든 신작로
아무도 없는 그 길
홀로 걸어가는 어린 소녀
일찍이 부모 떠난 나의 자화상
그 후 걸어온 수많은 길
때론 두려움 반 호기심 반 걸었고
가끔은 동행하며 인도를 받고
종종 이끌기도 하였지
만난 적 없는 수많은 저자들
나의 과거 해석해 주고
현재 위로해 주며
미래 향한 길라잡이였네
어느 날 문득 눈 열려
항상 함께 하셨던 분 알아보았지
나와 이인삼각하고 비록 꽃길 아니지만
선하고 의로운 길 안내하신 분
이제 내가 가본 길
사랑하는 이들과 함께 걸어가려네
내 이정표 되신 분 앞서가시며
문 열고 기다리시기에.

어린 시절로 거슬러 올라가 기억을 더듬는다. 유년기부터 초등학교 졸업 전까지 나는 아버지가 경찰 공무원이라 지서장 관사나 경찰서 근처에서 살았다. 지서나 경찰서는 내게 익숙한 장소였고 그곳에 근무하는 분들 입은 경찰 복장 역시 마찬가지다. 아버지의 잦은 전근으로 인해 이사를 자주 했는데 집 떠나기 전 방마다 벽을 쓰다듬으며 정든 집, 친구들과의 헤어짐을 아쉬워하곤 했다.

당시 1남 3녀 중 맏이인 나는 임신 중이라 몸 무거우신 어머니 대신 아버지와 함께 도청 소재지 사립여중에 시험을 치렀고 장학생으로 선발이 되어 기뻐하신 아버지께서는 선생님들을 중국요리 집에 초대해 대접하시며 자랑스러워하셨다. 도시로 유학 온 나는 기숙사 생활을 하며 일년에 두 번 방학 맞아 집에 내려갔다. 여중 일 학년 구정 즈음, 아버지는 연휴이지만 변사체 발생 보고를 받고 사건 현장 도착 후 뇌출혈로 쓰러지셔서 종합병원에서 수술을 받으셨고 생명에는 지장이 없었지만, 반신불수 상태로 얼마간 요양하신 후 직장을 퇴직하셨다.

아버지 고향 근처 시골로 낙향 후 아버지는 지팡이를 짚고 다니실 정도는 되셨고 여동생이 태어나 1남 4녀 된 가정 살림살이는 조금 사두신 논의 선세로는 생활이 힘들어 부모님은 겨울방학에 집에 온 내게 더 이상 가르치기 어렵다고 말씀하셨다. 그러나 내가 너무 격렬하게 울고불고하는 바람에 나는 일단 기숙사로 다시 되돌아왔고 학업을 지속하였다.

당시 미혼으로 평생을 보내셨던 사감 선생님은 항상 내게 호의적이셨고 아버지 수술 때문에 어린 동생을 데리고 오신 어머니께도 작은 방 하나 배려해 주셔서 병원에 입원해 계신 동안 각종 편의를 봐주셨다. 당시는 연금이나 보훈제도가 지금 같지 않고 의료보험도 없던 시절로 부모님들이 겪었을 어려움은 여중 일 학년이던 내가 다 가늠하지는 못한다.

초등학교 시절 만화로 시작하여 수사과장이시던 아버지가 구치소 보내기 위해 집에 모아둔 책을 접한 나는 이해도 못하고 수준 맞지 않는 책들을 무작정 보기 시작했다. 덕분에 문맥을 잘 이해하고 어휘력이 늘어 국어와 고전 과목 성적이 좋았던 것 같다. 아버지는 학창 시절 웅변대회에서 수상도 하시고 언변이 좋으셨으며, 어머니와 그 형제들은 노래를 잘하셔서 그 유전자 덕분인지 나는 고등학교 언니들과 함께 한 기숙사 방, 학교 소풍, 여고 3년 자율학습 시간에 불려나가 노래를 하곤 했는데 처한 가정 상황 때문인지 마음이 우울해 즐겁지 않았고 마지못해 참여해야만 했다.

친척이 군에 있어 국군간호사관학교에 대해 정보를 얻게 된 아버지는 불편하신 몸 이끌고 권역에 속한 통합병원에 원서를 제출하셨고, 당시 담임이셨던 국어 선생님의 사범대학 입학 권유 및 여군이 된다는 생소함에 만류하던 목소리들을 뒤로하고 전액 장학금을 받는 국군간호사관학교 시험을 치른 후 6년 동안 입었던 교복을 벗고 제복 입는 생활이 시작되었다.

울며 뛰쳐나간 해부학 교실

하나님의 시간표

가장 공평한 시간이라는 선물
각자 다른 수명대로 머무름은
영생의 선물로 끝은 다 같아지네
태어나기 전 생명책 기록된 시간
참된 성공 목적 향해갈 때
하나님 시간에 맞추는 것
그분 만나고 계수되는 시간
그 외는 수고와 슬픔뿐
일시적 만족은 허무요 무덤 덮는 흙먼지
어제는 회한 오늘은 고통 내일은 두려움
지금 이 순간 가장 올바른 선택은
인도하시는 목자 음성 듣는 것
분명한 인생 목적과 의미 발견할 때
비로소 지난 날 해석되어지고
정해진 좌표 향해 내딛는 두려움 없는 발걸음
포도원 늦게 온 품꾼 동일한 삯 주시니
더 열심히 일하려는 감사함
가진 달란트 초라함에도
부지런히 이윤 남기며 누리는 참 만족
잇사갈 자손처럼 현명하게

씨앗 뿌리기

하나님 시간표 맞추길 기도함은

인생 살같이 지나가고

열매 거두어야 하기 때문

공수래공수거라 하지만

자손대대 물려줄

오직 이 생 주어진 시간에만

심을 수 있는 인생의 유산

그분과 함께한 시간만이

내 유일한 존재의 의미.

국군간호사관학교의 교과 과정은 마치 여고 시절의 그것처럼 빡빡했고, 간호과목과 장교 임관을 위한 훈련이 병행되었다. 여중, 고 6년 기숙사 과정은 이에 비할 바 안 되나 집에서 다닌 다른 생도들보다 규칙적 생활의 연장이라는 점에서 조금은 도움이 되었다. 일 학년 교과 과정에 있는 해부학 수업에 인체 뼈를 가지고 구두시험을 보았는데 생도 수보다 개수가 부족했고 거부감에 약간 망설이던 나는 뼈를 선택하지 못해 책으로 공부할 수밖에 없어 재시험을 치렀다. 이것이 생애 최초로 접한 죽은 자의 뼈였고 다소 충격적이었다.

어느 날, 해부학 시간에 같은 도시 내 대학병원 해부학 실습실을 방문하였다. 약간 의 두려움 반, 호기심 반으로 줄지어 문 열고 들어선 그곳은 포르말린 냄새가 코를 찔렀고 충격적인 장면은 모두를 무거운 침묵에 빠지게 했다. 포르말린 시험관에 진열된 액침표본 된 인체 기관들과 태아 표본들, 실험실 테이블에는 화상을 입은 듯 그을린 사체가 머리카락과 머리 부분을 제외하고 헤집어진 흔적과 함께 놓여 있었다. 이를 본 순간 나는 격해 오르는 감정과 충격으로 더 이상 그 자리에 있을 수 없어 순간적으로 뒷문 열고 나가 한동안 통곡하였다. 그날 나는 인간의 무력함과 삶의 덧없음을 처음으로 절감하였다.

그날 받은 충격 이후 국군간호사관학교 생활은 심적으로 적응하기가 어려웠다. 나는 어려서부터 제복에 익숙했던 까닭에 군인 제복을 입는 일에는 거부감보다 오히려 친숙함을 가지고 있었으나, 간호사가 되어 생과 사의 현장에 선다는 것에는 아직 준비가 안 되었던 것이다. 졸업반에 이르러서야 국가고시도 치러야 하는지라 학업에 집중할 수 있었다.

졸업과 임관을 한 달 정도 앞둔 1975년 1월 30일, 나는 국군간호사관학교 정문 검문소에 전보가 와있다는 연락을 받고 무슨 일인지 가늠 안 되는 발걸음을 재촉하였다. '부친 사망'이라는 전보를 받아 들고 검문소를 나온 나는 순간 머리가 띵하면서 현기증을 느끼고 비틀거렸다. 눈물도 나지 않았고 급히 내려간 고향집에 아버지는 이미 관에 안치되어 뒤늦게 도착한 혈족들을 위해 드러낸 얼굴만 뵐 수 있었다. 그때도 나는 멍한 느낌만 들었을 뿐 실감이 나지 않았고 눈물도 나오지 않았다. 그 당시 가족들은 이미 서울로 다 이주한 상태로 남은 일처리를 위해 혼자 내려가신 아버지는 뇌졸중 재발로 뇌출혈 발병 9년 만에 49세의 나이로 어머니와 늦둥이 막내아들 포함 2남 4녀를 남기고 고향에서 돌아가신 후 선산에 묻히셨다. 이렇게 타인에 이어 혈족인 두 번째 사체를 접하자 생명의 덧없음은 내 마음 깊숙이 더욱더 내려앉았다.

세 번 치른 아버지 장례식

나의 기도

제 눈에서 슬픔의 눈물 닦아 주시고
기쁨의 눈물 솟아나게 하시는이여
당신만이 제 소망 의지 반석이십니다
세상 누구보다 무엇보다 존귀하신 분
조상들 심은 선행과 미덕 자손들 대대로
흘러넘치어 나누고 베푸는 자들 되게 하소서
저보다 더 저를 사랑하시는 이여
한 말씀도 땅에 떨어뜨리지 않으시는 분이시여
당신의 종들 수치 당하지 않게 하시고
당신께서 베푸시는 큰 복으로 하늘 놀라고
땅 뒤흔들게 하소서
가진 자들 고개 숙이게 하시고
교만한 자들 눈길과 발길 부끄럽게 하소서
당신이 사랑하고 당신 사랑하는 자들
삶 어떠한가를 만인 알게 하소서
주님 앞 인내로 날마다 산 제물 드리며 나갈 때
선대한 이들 축복하시고 대적한 이들 용서하소서
저보다 더 저를 사랑하시는 이여
비록 작은 소자의 오병이어 불과하지만
저 자신 드립니다
주님 축사하시어 만인 먹고 나누게 하소서.

'모든 눈물을 그 눈에서 닦아 주시니 다시는 사망이 없고 애통하는 것이나
모든 곡하는 것이나 아픈 것이 다시 있지 아니하리니' (요한계시록 21:4)

내 바로 밑 여동생과는 5살 터울로 19세에 결혼하고 20세에 나를 낳으신 후 한동안 임신하지 못한 어머니는 어린 시절 나를 데리고 교회에 다니셨다. 다니던 여중, 고는 천주교 재단으로 예비 신자 상태이었으나 기독교 CCC 모임에 참석하기도 했다. 그러나 내가 정기적으로 교회에 다니게 된 동기는 소위 임관 후 첫 근무지에서 어느 일요일 당직 근무하던 때다. 창밖에 유난히 세차게 내리는 비를 바라보며 나는 순간, 이 비가 아버지 묘소에도 스며들어 다 젖겠다는 생각으로 한동안 우울해졌다. 누군가 우리 아버지를 보호해주면 좋겠다는 생각이 들었고 그때 불현듯 하나님이 우리 아버지를 보호해주니 안심할 수 있다는 생각이 연이어 찾아왔다. 그즈음 일 년 선배가 나를 교회로 이끌었고 그곳에서 세례받았다. 그러나 나의 신앙생활은 주로 활동 위주의 교회 모임 참석 수준이었다.

서울에서 생활하신 어머님은 많은 어려움을 겪으셨다. 아버지께서 돌아가시기 전 친척 소개로 해방촌에 마련한 집이 남산 3호 터널 관련 부지로 편입돼 집이 헐리게 되면서 세를 많이 안고 산 집이라 보상금으로도 해결 안 되는 상태였고, 지하실에서 운영하시던 '요꼬'라 불리던 편직 공장도 문을 닫아야만 했다. 당시 타지에서 근무하던 나는 다른 동생들처럼 직접 그 모든 실상을 자세히 겪지는 못했다. 어머니는 지혜롭고 담대하신 분이며 육이오 후 당시 학제가 초등학교 6년, 여중 6년, 전문학

교 2년제로 여중 4학년이던 어머니는 5, 6학년이 결혼하거나 사라져서 함께 졸업하였다고 말씀하셨다.

육이오 후 서울에서 일류학교 선생님들이 피난 와서 서울 수복 전까지 가르치셨고 당시 이화여고 선생님이던 이모부는 외가에 세 들었다가 이모와 결혼하셨다고 하셨다. 육이오 때 인민군들에 의해 지주와 반동 세력이라며 끌려가신 외할아버지와 어머니의 형부는 삽으로 뒷머리를 맞고 돌아가셨고, 미리 파놓은 구덩이에 던져지셨다. 당시 십대 후반의 어머니는 연락 없으신 두 분을 수소문하여 시체 더미를 헤치고 겨우 찾아내어 식구들과 함께 시신을 매장하셨다. 당시는 군인과 경찰이나 겨우 입에 풀칠하는 시기라서 배가 고프신 어머니는 중매로 8년 위 경찰이신 아버지와 19세에 결혼하셨고 아버지를 남편이자 동지로 여기시며 근무지를 따라 함께 옮겨 다니시며 일 년 후 나를 낳으셨다.

소위 임관 9년 후 소령이 된 나는 성령 체험과 함께 하나님께서 먼 하늘 계신 분 아니고 살아계셔서 나와 인격적 관계 맺는 살아계시는 분이심을 체험한 후 아버지의 구원 문제와 기독교식으로 장례 치르지 못한 것이 마음 속의 한으로 남아 나를 괴롭게 했다. 장녀인 나는 여중 시절부터는 가정 떠나 타지에서 생활했지만 터울 많이 지는 동생들보다는 아버지와의 추억이 그중 많고 아버지도 나를 자랑스럽게 여기셨다. 어머니께서는 경황없는 세월 보내시다 70세 지나 아버지의 명예 회복을 위해 관계 부처를 방문하며 서류를 제출하셨다. 아무 혜택도 누리지 못하고 투병 생활 8년 만에 선산에 묻히셨던 아버지는 근무 중 받으신 화랑무공훈장 수훈 자격으로 2005년 임실 소재 호국원으로 옮겨 봉안되셨다. 조성된 지 얼마 안 된 평안하고 깨끗한 호국원에서 예총을 발사하며 국가를 대표한 군과 경찰 부서장들이 상주되어 치르는 장엄한 의식이었을 뿐만 아니라 기독교, 천주교, 불교 순으로 드리는 장례식이었다. 이렇게 하나님께서는 돌아가신 무덤을 열어서라도 나의 오랜 마음 속 깊은 한을 풀어주셨다. 아버지의 유골함은 기독교식 장례 절차 장소에 진열되었고 목사님이 주재하셨다. 예식 후 생전에 뵌 적 없는 목사이자 맏사위인 남편이 유골함을 목에 걸고 두 손으로 받들어 사열한 의장대들 사이를 지나 지정 납골당으로 모셨다. 그 뒤로 남편은 장인어른께 맏사위 노릇을 다했다고 말하곤 했다. 그러나 그것이 다가 아니었다.

정확히 1년 후 2006년 5월 20일, 다시 한번 혜택을 받아 나중에 어머니와 함께 합장이 가능한 매장지를 배정받아 호국원에서 치르는 장례 의식을 또 한 번 더 치른 후 이번에는 내가 목에 걸어주는 천 의지하여 유골함을 가슴에 안고 차를 타고 내린 후 매장지까지 운반했다. 한 걸음 한 걸음 걸어가면서 결국 아버지는 '내 가슴에 안겨서 묻히시기를 원하셨구나' 하는 생각에 흐르는 눈물을 주체할 수 없었다. 아버지의 사랑을 제일 많이 받았다고 생각하는 나에게 무려 31년이나 지났음에도 불구하고 이런 보은의 기회를 하나님께서 허락하신 것이다. 그 뒤로 2년 지난 2008년, 어머니는 뒤늦게 공상군경 유족으로 인정되어 국가유공자 유족 연금도 매달 받게 되셨으니 이 어찌 국가와 하나님의 베푸신 은혜라 아니하겠는가! 시간이 지나 나는 어머니로부터 아버지께서 뇌졸중 수술 후 요양하시면서 침례교회에 나가시고 세례도 받으셨다는 말씀을 듣고 아버지 구원 때문에 두고두고 못내 끙끙대던 가슴앓이가 사라졌다.

잃어버린 시간들

잃어버린 시간을 찾아

가장 공평하게 주어진 시간이라는 선물
내 곁에서 항상 흐르고 있는 시간
목표 없이 제대로 관리하기 얼마나 힘든지
뜻 세우면 무관한 일들 정리되는 가지치기
많은 경우 성경 속 인물들 기록된 나이
하나님께 쓰임 받은 때부터지
하나님 일 하며 시간 보낸다 생각했지만
성령님 인도하심 따라 하나님 뜻
행하지 않은 모든 시간들 잃어버린 시간
부르심 목적 따라 소망 가지고
인내하는 시간 더없이 귀중하지만
깨어 준비하지 못하고 낭비한 시간 책임 나의 몫
나 중심하지 않고 시간의 주인이신 창조주 뜻대로
낮과 밤 사계 돌아옴 알게 될 때 누리는 시간
지나온 시간 한탄하기보다
앞으로의 한 날 소중함 위해 밑거름 삼아
지난 밤 감사로 마무리한 것처럼
기쁨으로 맞이하는 눈 뜬 새 아침.

하나님의 나이 계산법은 독특하시다. 성경에 나오는 인물들 자세히 살펴보면 하나님께서 개입하시지 않은 시간들은 계산되지 않았음을 발견할 수 있다. 살았다 하나 죽은 자들의 시간이다. 나의 경우 1975년에 세례를 받고 하나님이 살아계시고 인격적인 분이심 깨닫기까지 8년 기간이 그렇다.

그동안 나는 결혼했고 딸과 아들, 둘을 낳았으며 군에서는 소령 진급예정자 확정도 되어있던 시기이다. 갑자기 갑상선 종양이 생겨 수도통합병원에서 수술 후 캘로이드 타입으로 심한 흉터를 제거 위해 두 번은 수술실에서 한 번은 외래로 시술하였다. 인생의 중요한 사건들이 있었고, 한편으로는 평범하게 살던 시절이지만 언제부터인지 모르게 나는 공허감을 느끼고 있었다.

두개골 반 정도가 텅 비어있는 느낌? 살아간다는 것이 이런 것인가? 이게 다인가? 이렇게 살다가 죽는 것인가? 겉보기에는 별 이상 없는 생활을 영위하고 있었지만 나의 내면은 점점 그 무엇인가를 찾고 있었다. 군인의 삶이란 잦은 전근 생활로 중위로 결혼한 나는 주말부부 형태로 아이들은 시어머님이 돌보아주셨다. 첫 근무지이던 국군마산병원에서 국군부산병원, 국군원주병원, 국군수도병원을 거쳐 용인 3군 사령부 의무실에 근무할 때이다. 주말부부이기에 주일 예배는 집에 가서 드렸으나 군목께서 방문하여 군인교회 예배 참석을 권했기에 군인교회 수요예배 설교시간 내내 주보만 바라보았던 때이다.

나는 무언가를 찾기 시작했고 그 무엇이 하나님이라는 것을 깨닫게 되기까지 사서삼경, 주역 뭔가 도움 될 것 같은 책들을 읽기 시작했다. 심지어 사주공부도 하고픈 생각이 들 정도였다. 막연히 금식하고픈 생각도 들어 영양제를 맞으며 이틀인가 했으니 지금 생각하면 우스울 따름이다.

어느 날, 제목은 기억나지 않지만 기독교 서적을 읽을 때이다. 책 내용 중에 백지를 옆에 펴놓고 지금까지 살아오면서 죄라고 생각되는 것을 전부 기록하고 한 줄 한 줄 읽을 때마다 예수님 이름으로 용서받았음을 고백하라는 내용이 있었고 나는 그대로 하였다. 어린 시절부터 거슬러 올라가 기억나는 대로 적으니 26가지쯤 되었고 '하나님께서는 미쁘사 다시는 그 죄를 기억하시지 않는다'고 성경에 적혀 있는 그대로 죄 사함을 받았음을 믿음으로 받아들였다.

그 후로 그동안 신앙생활은 하였으나 한 번도 기도드리는 생활을 못한 나는 짧은 내용의 기도를 드리기 시작했고 그 기도가 응답되는 체험을 하기 시작했다. 비슷한 체험을 몇 번 하면서 나는 하나님께서 저 하늘 어딘가 계시는 분이 아니라 살아계셔서 내 기도를 들으시는 분이심을 깨닫게 되었고 그때부터 내 입에서는 '살아계신 주' 라는 복음성가가 저절로 흘러나오게 되었다.

살아계신 하나님

살아계신 하나님

자주성 자랑스러워하며
내 갈 길 헤쳐 나갈 때
우연한 초대 받아
당신 좋은 교사삼고
상황 따라 들랑날랑한 교회
가끔 말씀 감화 받았지만
그냥 그때 뿐
여전히 난 내 삶의 주인
어느 날 문득 일상에서
느낀 허무함 두개골 한 편
텅 비어있는 느낌
삶이란 게 이게 전부인가
꼬리를 물고 뇌리 한편 자리한 자문
존재 의미 찾던 중 처음 올린 기도
기다리셨다는 듯 즉시 응답하심에
아 삼층 천 어디 계신 분 아니라
살아계신 하나님
그 때 이후로 그분은 내 삶의 모든 것
우연 아닌 필연임 알려주셨고
어린아이 같은 내 물음 답해주시고

기도란 이런 대화임
친히 가르쳐 주셨네.

3군 사령부 의무실 근무 중 소령으로 진급한 나는 1984년 국군벽제병원
으로 근무처를 옮겼다. 배정된 간호장교 숙소에 도착하여 짐을 풀기도
전에 나는 이렇게 기도했다. "하나님 아버지 이제부터는 나의 삶을 온전
히 당신 뜻대로 인도 하소서."

지금까지의 생활과는 전혀 다르게 저녁 9시 기도 시간, 신앙 서적 읽기,
기독교 방송 청취로 근무 시간 외 시간표가 짜여졌다. 아침에 출근하면
서 나는 이렇게 기도했다. "하나님 눈으로 보는 것, 귀로 듣는 것 하나님
만 향하게 하시고 하나님 뜻을 헤아리게 하소서."

신기한 일은 성경이나 책을 읽다가 궁금한 내용 있을 때 마음에 두고 기
독교 방송을 틀면 마치 가정교사처럼 그 내용을 설명하는 설교나 문답
내용이 나와 그 뜻을 이해하곤 했다. 지금은 다른 장소로 옮겨졌으나
그 당시 국군벽제병원은 오산리 순복음기도원 들어가는 입구에 위치하
고 있어 근무시간에도 집회소리가 소음처럼 들리곤 했다. 그때까지 나
는 기도원이라는 곳을 출입한 적이 없어 때로는 병원 옆길까지 늘어선
대형버스들이 보여 많은 이들이 드나들고 가끔씩 크게 들리는 주여 삼
창하는 소리가 나는 곳으로만 이해하는 정도였다. 당시 소령급 장교
두, 세 명이 돌아가며 간호장교 숙소 살림을 겸하던 때라 나는 식당아주
머니가 순복음교회 교인으로 금식을 자주하는 바람에 음식 간 맞추기
어려운 문제를 알아차리고 대화 중 기도원에 대해 알게 되었다.

그곳에 대한 관심이 생겨 어느 날 퇴근 후 기도원 근처 동네에 살던 식당 아주머니를 따라 기도원으로 들어갔는데 여러 개의 건물이 있었고 우리는 대성전이라는 장소로 들어갔다. 많은 사람들이 바닥에 앉아있었고, 큰 소리와 몸짓으로 기도하거나 곁에 물병 하나씩 두고 환자처럼 보이는 사람들도 많이 있었다. 대각선으로 보이는 곳에 군인 사병이 무릎을 꿇고 앉아 얼마나 열심히 기도하는지 젊은 사람이 무슨 기도 할 것이 저리도 있나 라는 생각이 들었다. 그때까지 한 번도 소리 내어 기도해본 적 없는 나는 그저 구경꾼에 불과했고 병원 근무를 함에도 불구하고 옆에 앉은 환자가 꺼림직 해 가능한 닿지 않도록 몸을 사렸다.

기도원에서는 통성기도라며 소리 내어 기도들을 하였는데 처음 들어보는 이상한 소리가 들려 아주머니에게 물어보니 방언이라 하는데 왠지 나도 한 번 해보고 싶다는 마음이 들었다. 그 뒤로 몇 번 더 아주머니와 동행했고 같은 교구 식구라는 미혼 여성도 소개받았는데, 그분이 나를 위해 금식도 해주고 많은 것을 설명해 주었다. 그 당시 읽고 있던 책 내용이 성령님에 대한 내용이었는데, 웬만한 글을 읽으면 독해력 있다 여기던 나도 이해하기 어려웠고 왠지 모르게 아침 금식을 해야지 하는 생각이 들어 금식하며 읽어 내려가다 보니 어느 정도 내용이 이해되었다.

그 기간 중 3일 금식해야 한다는 느낌이 강하게 들었지만 영관 장교는 윗분과 같이 식사하기 때문에 그 연유를 말하는 것이 부담스러워 차일피일 미루었다. 며칠 뒤 1군단사령관님께 주사를 놓을 일이 생겨 중위 한 명과 함께 왕진 간 나는 부관이 타주는 차 한 잔을 마시던 중 갑자기 구토증을 느껴 화장실에 가서 토하는 일이 생겼다. 더 이상 미루면 안

될 것 같아 마침 다음날이 토요일이라 주말을 겸해 3일간 금식하면 월요일 하루 점심만 윗분께 양해를 구하면 되어 토요일 아침부터 금식을 시작했다. 주말부부인 나는 남편에게 몸이 안 좋아 이번 주는 집에 갈 수 없다고 연락하였다.

토요일 병원 정문 보초 사병은 마침 군종사병이었다. 나는 그에게 내가 염려되어 찾아올 남편에게 기도원으로 오라고 전해주기를 부탁하고 기도원으로 갔다. 한참 시간이 지나고 나를 찾는 방송이 있어 대성전 입구로 가니 화가 잔뜩 난 남편이 서있었다. 몸이 아프다기에 걱정되어 찾아왔다가 기도원에 갔다고 해서 그런가하고 별다른 생각 없이 기도원에 들어와 대성전 입구에 들어서자마자 마침 통성기도 시간으로 처음 본 광경에 남편은 그들이 정상인들처럼 보이지 않았던지 물병과 방석을 든 채로 나를 이끌고 나왔다.

그대로 집에 도착해 금식은 무슨 금식이냐며 음식을 주는 바람에 맘먹고 시작한 금식은 수포로 돌아갔다. 처음으로 제대로 된 금식을 하려니 첫 두 끼는 참기 어려웠는데 밥을 먹게 된 나는 병원으로 돌아와 작심하고 월요일부터 다시 삼일 금식을 시작하여 끝냈고 그렇게 하나님 앞으로 한 걸음씩 다가갔다.

내 짐 나눠지라

내 짐 나눠지라

주님 기뻐하기보다 주시는 손길 더 바라봅니다
육체 어연 백발 되어 가는데 주께 드리기보다
아직도 주시라고 힘주어 간구합니다
제게 십자가 짐 나눠지라 하신 주님 짐 나눠지기는커녕
주님 걸어가시는 골고다 언덕길 제 짐 엎어드립니다
짐이 주님 마음 깊숙한 곳 염려 공유함인 줄
말씀 듣고 무려 20년 지나 깨달았습니다
그 염려 무리 보시고 불쌍히 여기신 긍휼의 마음
무리들 위해 성령님 내게 임하셨으니
이는 가난한 자에게 복음 전하게 하시려고
내게 기름 부으시고 나를 보내시어
포로 된 자 자유를 눈 먼 자 다시 보게 함 전파하며
눌린 자 자유롭게 하고 주 은혜의 해 전파하게 하심이니
이제 포도나무이신 주님께 접붙인 가지되어
주님 심장 박동 함께 고동치는 생명으로
오직 예라 순종하며 발등 비추시는 말씀 따라
제게 지워주심 안성맞춤 가벼운 십자가 지고
주님 가신 길 따라 한 걸음 한 걸음 내딛습니다.

국군벽제병원 근무 당시 수요일 오후는 체력단련 시간으로 여유 있는 시간에는 병원기독장교회 모임을 가져 함께 성경공부도 하고 목사님도 초빙하여 기도회 모임도 하곤 했다. 당시 함께하던 신실한 군의관들 중에는 나중에 사회에 나와 명성 날리며 영향력 끼치는 분들도 있었다. 또 당시 1군사령관님이 독실한 기독교인이셔서 그 영향력으로 사령부뿐만 아니라 타 부대 기독장교회 모임도 활발했으며 서로 교류도 잦았다. 그중 일부와는 근무지 전출 후에도 서로 안부도 묻고 중보기도도 하며 도움을 주고받는 좋은 관계를 유지하였다.

오산리 기도원 출입을 자주 하게 된 나는 대성전 내부 전면 상단에 크게 걸려있는 '성령 대망회' 현수막을 바라보는데 이미 한 번 이상 성경을 다 읽었고 성령님에 대한 책을 읽었음에도 '성령'이라는 단어가 클로즈업되어 다가왔다. 그곳에는 방언으로 기도하는 사람들이 제법 있어 나는 나를 위해 기도해주던 자매에게 방언은 어떻게 하면 받느냐 물어보았다. 하나님께 구하면 주신다고 대답을 해줘 나는 통성기도 시간에 마음속으로 "하나님! 나도 방언기도 하게 해 주세요"라고 기도하곤 했다. 어느 날 저녁 기도원을 향해 걸어가고 있을 때 문득 오늘 방언을 받을 것 같다는 예감이 들었고 통성기도 시간에 처음으로 소리 내어 기도해 보았지만 아무 일도 일어나지 않았다. 예배가 거의 끝나갈 무렵 인도하시던 목사님이 "전부 일어나 옆 사람 손을 잡고 방언으로 기도하십시오"라고 말씀하시자마자 나는 혀가 약간 말려지는 느낌이 들었다. 순간 옆에 있던 기도해 주는 자매님이 "김소령님 축하해요"라고 말을 건넸다. 입 벌린 것도 소리 낸 것도 아닌데 어떻게 아는 거지? 나는 긍정도 부정도 하지 않고 속으로 '이따 숙소에 가서 한 번 해봐야지'라고 생각했다. 숙소에 돌아온 나는 마음을 가다듬고 침상 위에 올라가 기도를 시작했다.

혀가 말리며 "랄랄랄라 랄랄랄라..." 하는 소리가 흘러나왔다. 한 오 분 정도 되었을까 나는 갑자기 눈물이 나기 시작했고 이전에 한 번 죄라고 생각되었던 목록을 만들어 하나님께 다 자백했음에도 불구하고 새로운 내용들이 떠오르기 시작했다. 허리가 끊어지는 듯한 고통을 느끼며 나는 고백 회개했고 그 뒤로 어떤 일들은 삼 일 금식 하며 하나님 앞에 엎드렸다. 그 뒤로부터 개인기도 시간에는 방언으로 기도하기 시작했고 하나님은 나에게 환상을 열어주셨다. 얼마 뒤 저녁 기도시간에 내 앞에 흰옷을 입고 무릎 꿇어 기도하는 나의 영의 모습이라 여겨지는 어린 소녀가 있었고 조금 앞에 보이는 바위산 같은 곳으로 십자가를 어깨에 메고 힘겹게 올라가시는 예수님 모습이 보였다. 나는 순간 영화에서 본 내용이 어쩌다 보여지는 것이 아닌가라는 생각도 들었지만 그 예수님 모습이 너무나 힘겹게 보이고 지쳐보여서 애통한 마음에 통곡이 터져 나왔다.

그 순간, 앞을 향해 가시던 예수님이 나를 뒤돌아보시며 "네가 내 짐 나눠지라"고 하시는 것이 아닌가? 내 처절한 마음을 아시고 내 모습이 그렇게 힘들어 보인다면 네가 나의 짐을 나누어지라고 말씀하신 것이다. 그런데 그 의미를 정확히 이해한 것은 무려 21년이 지난 2005년 5월 3일이었다. 성경 마태복음 11장 30절 '이는 내 멍에는 쉽고 내 짐은 가벼우니라'라는 구절을 읽을 때였다. 갑자기 21년 전, 그 환상이 떠오르며 지금까지 알고 있었던 구절이 새롭게 인식되었다. 나의 주님을 위한 어떤 헌신이나 봉사 아닌 내가 할 일은 오직 포도나무이신 주님께 매달린 가지 관계임을 이해하고 주님께서 내 생명의 근원되시게 할 때 요한복음 15장 5절 '나는 포도나무요 너희는 가지라 그가 내 안에, 내가 그 안에 거하면 사람이 열매를 많이 맺나니 나를 떠나서는 아무것도 할 수 없음이라'는 말씀이 내게 이루어지는 것이었다. "내 짐 나눠지라"는 부르심 이후 지금까지 20년 넘는 세월 동안 비록 내가 주님 짐을 나눠지는 것이라고 착각해 왔음에도 불구하고, 그 시간들은 나를 위한 하나님의 사랑, 훈련, 정확한 부르심이었음을 깨닫게 된 것이다.

계속되는 환상

기도

기도는 계시의 눈 열어
하늘가는 사닥다리 사막의 샘물
하늘의 불말 불 병거 보여 준다
기도는 하늘로부터 불내려 제물들 사르며
고라의 길 따른 자들 삼키고
애굽 땅 불덩이 쏟아붓는다
기도는 생기 불어넣어
새 생명 잉태하고 죽은 자 살리며
생명 보존하고 생명의 떡 먹인다
기도는 위기의 사자 굴에서 건지고
옥문 열며 원수의 궤계
물리쳐 준다
기도는 마음의 소망 이루며
생명 길로 인도하고
약속하신 말씀 이루어주신다
기도는 하나님과의 대화
그분 뜻 알고 행할 수 있는 힘주며
금 대접 담겨 보좌 앞 금 제단 올라간다.

그 후 얼마 지나지 않아 퇴근 후 기도원 저녁 집회 참석했을 때 일이다. 처음 남편이 기도원에 찾아왔을 때처럼 마치 기도원 입구에 서 있는 듯 느껴져 예배에 집중하지 못하고 두세 번쯤 뒤돌아보았는데 남편의 영이라 느껴지는 모습이 통로를 따라 설교단 앞으로 걸어가더니 바닥에 큰 대 자로 엎드렸다. 그 순간 나는 '아! 남편이 하나님께 돌아오게 되리라' 는 예감이 들었다. 얼마 후에는 남편이 단상에서 설교하는 모습도 보게 되었다. 그즈음 나는 하나님께서 나를 어떻게 인도하시려고 환상이 보이고 깨달아지나 라는 의문과 함께 남편을 목회자로 부르신다는 것을 마음에 담게 되었다. 이뿐만 아니라 나 역시 신학을 공부해야한다는 마음이 막연히 들어 총신통신신학 과정 신청하여 조금씩 공부를 틈틈이 시작해보았다.

한편, 기도원에서 기도 시간에 주의 깊게 들어보니 사람들이 나처럼 "랄라랄라" 하지 않고 뭔지 모르는 유창한 기도 소리를 내고 있었다. 같이 교제하던 분에게 어떻게 해야 저리 기도할 수 있느냐 묻자 열심히 하면 된다고 하여 그 뒤로 틈만 나면 쉬지 않고 기도를 했다. 그러던 어느 날, 중국말 같기도 하고 일본말 같기도 한 억양의 단어들이 튀어나오다가 이어서 유창한 기도를 하기 시작했지만 뜻을 모르니 답답해졌다. 성경을 찾아보니 방언은 덕을 세운다고 기록되어 있어 그 정도로 이해하고 통변을 구해야지 하는 생각으로 계속 기도 생활을 했다. 두 달쯤 지났을까? 어떤 사람이 저쪽에서 방언 기도를 큰 소리로 하는 것이 들렸는데 내 귀에 "하나님 너무 아파요 살려 주세요"라고 들리는 것이 아닌가? 그 이후부터는 내 기도 뿐 아니라 타인의 기도 내용이 점차 확실하게 알아졌다.

어느 수요일 오후, 순복음 목사님을 초청해 기도회를 가졌다. 인도하시던 목사님이 우리 개개인에게 무엇을 위해 기도하느냐 물으셔서 내 차례 되었을 때 나는 영 분별과, 예언, 지식의 은사를 구한다고 대답했다. 목사님은 많은 것을 구하면 일을 많이 해야 한다고 말씀하셔서 속으로 많이 일하면 된다고 생각했다. 이 당시 같이 기도하는 사람들의 심령 상태가 알아지며 보여지는 것도 많아져 저녁마다 일기처럼 기록하였다. 성경 읽는 일도 마치 꿀처럼 달아 마른 스펀지 물을 빨아들이듯 읽기 시작했다.

이때는 마음이 뜨거워 아침에 출근할 때마다 나는 "하나님 제 눈이 보는 것마다 제가 가는 곳마다 사람들이 하나님을 알도록 해주세요"라며 숙소를 나섰다. 신문이나 뉴스도 보거나 듣고 싶지 않았고, 그저 하나님께서 필요하시면 누군가를 통해서라도 알게 하실 것이라 생각하며 일체 기독교 서적만 읽고 기독교 방송만 들으면서 성경 읽기와 기도 생활에만 전념하였다. 교회 예배 시간도 기다려졌으며 설교 말씀도 귀에 잘 들어오고 그렇게 지루했던 찬송가도 구절구절 마음에 와닿았다. 전에 뭔가 텅 빈 듯했던 자리들도 차츰 채워지는 것을 느꼈고 마치 질퍽한 진흙 수렁에서 발을 빼낸 상쾌한 기분이 들었다. 전에는 차타고 지나가다가 쇼윈도 옷들도 보이고 그랬는데 이 때는 일체 다른 것들이 눈에 들어오지 않고 생각나지 않았다.

씨앗 뿌리기

내 목이 나았어

주님 옷자락 부여잡고

주여, 온몸 악취 나는 부정한 혈루증 여인
자랑하던 그 모든 것 잃어버리고
참으로 소망 없이 살던 한 여인
당신 오신다는 좋은 소식 들었습니다
긍휼하심 의지하여 그분 앞 나가는 자마다
베푸시는 치유 은혜 입는다는 그 소식을
주여, 오늘 당신 발아래 엎드립니다
당신 자비와 은혜 구하며
저의 모든 것 던지며 당신께 나아옵니다
내가 부정하다하여 저 의로운 자들
돌 던진다 할지라도
죽음 무릅쓰고 당신께 나아옵니다
어떤 편견 멸시 모욕 두렵지 않고
오직 당신 옷자락 만지면
내가 살겠나이다
당신 발걸음 마음 상한 자들 것이기에
가난하고 상한 심령으로 당신 앞 엎드립니다
건강한 자 의원 필요 없고
오직 병든 자 의원 필요하다 하신 주님
당신만이 제게 필요한 모든 것이십니다

제복의 여인

당신 따르는 많은 자들 발길에 짓밟힌다 할지라도
당신 옷자락 잡은 이 손 놓지 않으렵니다
"딸아 네 믿음이 너를 구원하였노라"
말씀하시기 전까지 저는 이 손 거둘 수 없습니다
그저 당신 발아래 엎드립니다
당신 자비 은혜 구하며 오직 딸 된 자격으로.

1977년 국군원주병원에서 대위로 근무할 때 나는 갑상선 종양으로 진단받고 국군수도통합병원에 입원하여 갑상선을 2/3 자르는 수술을 받았다. 그 후 2년 뒤 국군수도통합병원으로 근무지를 옮겼고 목 수술 부위 피부는 비후성 반흔으로 수술 상처가 크게 도드라져 보기 흉하게 되었다. 정작 나보다는 나를 바라보는 사람들이 흉터를 더 크게 인식하고 어느 날 VIP병실에 회진 오셨던 준장이신 원장님이 나를 딱하게 여기셨든지 성형외과 과장님에게 말씀하셔서 성형 수술을 받게 되었다. 흉터가 길어 1/2씩 나누어 두 번 그 후 중간 부위 경계선에 팥알 정도 되는 흉터 제거를 위해 또 한 번 이렇게 나는 목 수술을 총 네 번 받았다.

그러나 여기서 다 끝난 것이 아니었다. 다음 근무지인 3군사령부 의무실에 근무할 때 내 목은 다시 부어오르기 시작했다. 침 삼키기도 어려워 국군수도통합병원 핵의학과로 가서 검사받으니 갑상선다발성물혹으로 진단이 났고 이동성으로 수술하지 못한다는 결론이 나서 약을 복용하며 두 달에 한 번 정도는 30cc 주사기 바늘을 목에 대고 거무죽죽한 내용물을 제거하는데 여간 고역이 아니었다. 병원 가는 것을 미루고 꾀부리다 보면 침 삼키기 어려워져 할 수 없이 진료를 받으러 갔다. 그렇게 진료하던 중 나는 국군벽제병원으로 근무지가 옮겨갔고 하나님을 체험하게 되면서 약을 그만 먹고 하나님께 기도해야 한다고 마음먹었다. 약을 복용 하지 않는 것을 알게 된 담당 군의관에게 책망을 받았지만 뭔가 이대로는 안 된다는 생각이 강하게 들었다. 노래 부르기 좋아하는 나는 목 수술 이후로 노래는커녕 전화 통화하다보면 목소리 톤 올라가는 것도 무리가 되어 전화 통화도 부담스러운 상태였기 때문이다.

그 당시 순복음기도원 예배 중에 가끔 목사님이 "지금 무슨 병이 나았습니다"라며 선포하는 것을 들었지만 나는 그냥 하는 소리려니 하고 별 실감나지 않았으나 그 선포에 두 손 들어 호응하는 청중들이 제법 있었다. 휴가 내어 삼 일 금식 기도 시작 후 이틀째였다. 힘들어 성전 벽에 거의 눕다시피 기대어 있는데 목사님이 느릿느릿 이렇게 말씀하셨다. "지금 목에 혹이 생겨 왔다 갔다 하는 분이 있는데 지금 나았습니다." '왔다 갔다' 하는 소리 들을 때 나는 '어? 저 소리는 나에게 하는거네' 라는 마음이 들었다. 남들처럼 아멘 하기 어색했지만 인정하고 싶어 자세를 고쳐 앉으며 가볍게 손을 들었다.

금식 끝나고 출근한 나는 병원기독장교회 모임에서 내 목이 나았다고 간증했다. 거의 후배들인지라 목에 계란 만한 혹이 있는데도 불구하고 선배가 말하니 긍정도 부정도 아닌 기묘한 표정으로 "아, 예"라고 대답들을 했다. 다음 날 아침 일어나 거울을 먼저 보았고 혹이 사라진 것을 발견했다. 나는 하나님이 고쳐주심을 직접 체험하며 믿게 되었다. 그 뒤 1994년, 국군부산통합병원에서 퇴역 후 한 일 년 뒤였다. 그 사라진 혹은 10년 후인 1995년 다시 계란만한 크기로 목에 다시 생겼다. 혹에 대해 기도했을 때 하나님께서는 "차차 작아지리라"고 말씀해주셨고 나와 남편은 믿음으로 목에 손을 대고 안수하였지만 여전히 혹은 그대로 였다. 할 수 없이 갑상선전문병원에 가서 검사 하였는데 호르몬 변화는 없어 약은 복용하지 않고 수술을 큰 딸 방학하는 두 달쯤 후로 예약하고 집으로 돌아왔다. 그래도 말씀 주신 것이 있어 가능하면 수술하지 않고 혹이 사라지도록 기도드려 왔는데 정말 크기가 차차 작아지면서 큰 딸 방학 시작될 무렵에는 전혀 표가 없었다. 병원에서는 6개월에 한 번 정도 사진 찍어보기로 했고, 30년 지난 지금까지 별 이상 없이 지내고 있다. 목을 고쳐주신 하나님을 찬양하며 예전 음성으로 하나님께 영광을 올려드린다.

고목 나무에 핀 꽃

생명의 이치

똑같이 물먹고 햇볕 쬐고 바람 불어주어도
먼저 자라는 잎 건강한 잎
더디 자라는 잎 시들어 떨어지는 잎
균등한 기회로 양육하는 인간 역시 마찬가지지
천하 만물 다 에너지 가지고 생명 유지하는데
인간 생명 강하게 붙들고 있는 것 그 무엇인가
저마다 에너지 주는 다양한 조건들 있지만
가장 크고 강력한 에너지는
만물 붙들고 계신 예수 그리스도
그 능력 덧입어 이제 주 예수님 인정하고
환영하고 모시어 들일 때
이제는 내가 산 것 아니요
내 안에 예수 그리스도 사신 것이니
내게 그 생명 능력 나타나지 않는다면
오히려 이상하지 않은가

1984년, 남편이 설교단 아래 엎드리는 환상을 본 후 어느 토요일 집에 가서 남편과 처음으로 신앙에 대한 진지한 이야기를 하게 되었다. 그렇지 않아도 어디 조용한 곳에 가서 시간 보내고 싶은 마음이 든다는 남편 말에 나는 오산리 순복음기도원으로 오면 퇴근해서 들릴 수 있으니 그곳이 좋지 않겠냐며 권유했다. 며칠 후 남편은 오산리 기도원에 도착했고 그날 저녁 기도원이 어설프게 느껴진다 해서 밖에서 숙박 후 다음 날 남편은 기도원으로 나는 근무처로 향했다. 퇴근 후 같이 예배드리는데 남편은 영 기도원 분위기에 적응이 안 되는 눈치였다. 예배 장소 맨 뒤쪽 자리하고 둘만 뚝 떨어져 앉아 찬양하며 박수치는 시간에는 박수도 치지 못하게 하였다.

그동안 알게 모르게 달라진 내 모습을 두고 남편은 은근히 속앓이 했던 것 같다. 남편은 여자 형제들이 있긴 하지만 시어머님이 불공을 드려 낳은 외아들이다. 그때 까지도 주말에 집에 가면 새벽마다 시어머님이 장독대 항아리 위에 정화수를 아침마다 떠 놓고 빌고 계셨다. 언제부터인가 집에만 가면 머리가 무겁고 아파진 나는 그 정화수가 영 신경이 쓰여 말없이 치워버리는 일이 몇 차례 반복되었다. 집에서는 느끼지 못했는데 기도원 예배 장소에서 나는 남편 안에 승무 출 때처럼 머리에 고깔 쓴 예쁜 스님 모습이 보였다.

도무지 예배에 집중 못하고 나도 힘들게 하던 남편이 저녁 예배가 거의 끝나갈 무렵 낮은 톤으로 '알고도 지은 죄 모르고도 지은 죄 용서하여 주세요'라는 복음성가를 부르며 단상 위에 갑자기 등장한 최자실 목사님의 노래 소리에 강퍅한 마음이 그대로 녹아져 그 다음부터는 먼저 박수치며 찬송도 부르고 예배 장소를 다른 곳으로 옮겨갈 때는 기도원 방석 가슴에 꺼안고 '믿습니다 믿습니다 믿습니다 주님' 이라는 복음성가를 흥얼거리게 되었으니 이는 순간적으로 일어난 일이었다. 그 때는 그 분이 누구신지 모르고 나중에 알게 되었는데 조용기 목사님 장모이셨

　　　　　　　　　　　　　　　　씨앗 뿌리기

다. 당시 그분은 외국 집회도 자주 다니셔서 기도원에는 자주 못 오셨는데 그 후 남편이 몇 번 참석한 기도원 예배 때마다 자주 뵈었으니 다 하나님 은혜라고 할 수 밖에 없다.

그 후 얼마 지나지 않아 몸이 뭔가 불편해 산부인과 가서 진찰받으니 임신이 되었다고 했다. 그 당시 이미 7세인 딸과 5세인 아들이 있었고 피임도 하던 참이라 영 어리둥절한 기분이었는데 기억을 더듬어 보니 남편이 기도원에 온 첫날, 밖에서 숙박을 했던 기억이 났다. 그 시절에도 아이 셋 가진 부모가 드물었고 나는 간호부장님에게 임신했다는 말하기가 민망해 몇 번 망설였다. 그래도 말씀은 드려야했기에 어느 날 점심 식탁에서 "저 임신 했어요"라고 조그맣게 말했는데 못 알아들으셨는지 "누가?"라고 반문하셨다. "제가요" 그랬더니 환하게 축하하신다고 하시기 뭐했는지 야릇한 표정으로 "고목 나무에 꽃 피었네"라고 하셨다. 지금 생각하면 31세였을 뿐인데 소령이기도 하고 이미 아들과 딸도 있어 전혀 예상 못하신 참에 무심코 그렇게 표현하신 듯하다.

남편은 전에 자기 사주에 아들이 둘이라 했다면서 아들임을 확신했고, 나는 임신임을 알게 된 순간부터 배에 손을 대며 "예수님 닮은 아기가 태어나게 해 주세요"라고 기도하기 시작했다. 전에 신앙 없던 시절 기도하지 못하고 이미 태어나버린 자녀들 생각하니 안타깝고 미안한 마음이 들었다. 그렇게 해서 다음 해 태어난 딸의 이름을 '은혜'라 지었다. 은혜란 받을 가치 없는 사람이 하나님으로부터 받은 선물이란 의미이다.

영적인 신병 훈련

자유

당신 사랑의 매는 줄 외에
저 옭아매는 그 어느 것 없습니다
당신 안에서 일체의 비결 배웠으니
참으로 모든 것
감사와 영광 찬송과 경배입니다
그 어떤 것 저를 두렵게 하지 못하고
걱정과 염려 당신 향한 소망과
당신 보호하심 아래
제게 아무 영향 미치지 못합니다
당신은 상한 갈대 꺾지 않으시고
꺼져가는 심지 끄지 않으시니
당신처럼 자비와 긍휼로
위로하시는 분 제게 없습니다
당신 주신 평강 아래 모든 것 맡기고
오직 당신께서 하라하신 말과 일
작은 힘 온 맘 다해 달려갑니다
당신 나라 의와 진리 뜻 구할 때
당신께서 친히 그 모든 것 더하십니다
제게 맛보게 하신 그 선한 열매
너무 귀해 비교되는 그 무엇 이 땅 없습니다

오! 영광과 경배와 찬송 받으시기

합당하신 주여

당신의 만인 위한 긍휼과 자비

하나도 땅에 떨어지지 않고 열매 맺으소서

오직 당신만이 모든 것들 근원이시며

그 어떤 다른 것들 바라보거나

의지하지 않게 하시니

오직 당신만이 제 존재 이유이자 목적이십니다

저의 과거 현재 미래 오직 당신 뜻 아래

당신 소유입니다

부르시고 알려주시며 사명 주시어

전진하는 걸음걸음

자비와 인애 긍휼과 보혈 덮어 인도하소서.

1983년 3군 사령부 의무실에 근무할 때 시어머님이 환갑을 맞이하셨다. 그 당시 경기도 광주가 집이었는데 잔치 준비를 위해 휴가 내고 집에 와있던 나는 마침 한미합동훈련을 마치고 오는 장병들을 환영하기 위해 파견 나온 사령부 군악대와 우연히 마주치게 되었고, 더운 계절이라 음료 대접한 일이 계기가 되어 그중 두 명이 시어머님 잔치에 잠깐 와서 팡파르를 불어주었다. 여군 며느리 두신 예기치 못한 깜짝 이벤트였다.

그 후 얼마 지나지 않아 평소 고혈압 약을 복용 중이시던 어머님은 가벼운 뇌졸중 증세로 쓰러지셨고 광주 소재 연세대학교 부속병원 입원 치료 후 호전을 보여 퇴원하셨다. 이때는 이미 다음 근무지인 국군벽제병원으로 전속 갔던 시기라 퇴원 후 얼마 동안은 벽제에서 광주까지 출퇴근하였다.

그 후 시어머님이 애들 돌보고 살림하시는 것은 무리라 거주지를 파주 진입하는 검문소 근처로 옮겼다. 그러나 이사 후 다시 쓰러지신 어머님을 금촌도립병원 응급실로 옮겼으나 가망 없다 포기하고 시트를 덮어놓은 상태였는데, 급히 달려온 남편이 울부짖으며 어머니를 붙잡고 기도하자 '휴' 하고 숨을 내쉬는 기적 같은 일이 일어났고 바로 친구가 근무하던 서울 을지병원으로 옮겨 응급 수술에 들어갔다. 수술 후에도 의식이 돌아오지 않아 중환자실에 한 달 넘게 계셨다.

가까운 친척이 종교를 바꾸어 일어난 일이니 굿이라도 하라고 남편에게 권유했으나 남편은 단호하게 설사 돌아가신다 해도 그런 일은 하지 않는다고 거절하였다. 다행히 중환자실에서 의식을 조금씩 회복하신 어머님은 남편이 면회 들어가면 아들과 눈 맞추려 하지 않고 고개를 돌리셨고, 남편은 어머님 안에 있는 영적 존재에 대해 인식하게 되었다. 어머님이 아프시기 전에 이런 일화가 있다. 기도원에서 돌아온 남편이 어머님에게 이제 예수님 믿고 교회 다니시자고 권유하니 시어머님이 단호하게 거절하시며 "네가 얼마나 잘되는지 보자"라고 까지 하시며 악담하셨다. 시어머님에게 남편은 끔찍이 여기시는 아들이다. 평소에 아무리 살인자라 해도 아들 친구면 자식과 같다라고 까지 하시던 분이셨다.

그 후 남편은 어머님 구원을 위해 간절하게 기도를 드렸고, 어느 날 꿈을 꾸었는데 어머님과 겸상하여 식사를 하면서 또다시 "이제 어머니도 같이 교회 다니시죠"라고 권유 드리니 어머님이 "내가 교회를 안 다닌 줄 아니? 나도 어렸을 때 크리스마스에 교회 갔었다"고 하신 것이다. 그 후 얼마 지나지 않아 겸상하며 식사할 때 꿈에서 보았던 광경이 실제로 재현되어 그 뒤로 남편이 가끔 하는 간증이 되었다.

다행히 의식이 회복되신 어머님은 일반 병실로 옮겼고 나의 하루는 매우 바빠졌다. 낮에는 간병인을 두고 밤에는 남편이 퇴근 후 병상을 지켰다. 나는 이미 배가 불러왔고 퇴근하면서 아이 둘과 버스정류장에서 만나 을지병원에 들렸다가 검문소 통행금지 시간이 되기 전에 돌아와야 하는 바쁜 발걸음이었다. 다행히 간호장교 숙소 식당 아주머니에게 부탁하여 마련한 반찬을 들고 다녔고 간호부장님도 소꼬리 곰국을 해주셨다. 집에 돌아와서는 애들 아침상과 도시락까지 싸놓고 학교 보낼 준비까지 해놓고 자리에 누우면 새벽 두 시가 다반사였다. 하나님께서는 나에게 은혜도 크게 주시기 시작하셨지만. 나를 영적인 전쟁을 위한 신병 훈련소에 입소시키신 것이다.

뒤바뀐 집주인

새

그래 가끔은 하늘을 보자
땅의 삶 어지럽히고 힘들게 할 때
그래 가끔은 하늘을 보자
모든 무거운 짐 벗어버리고
높이 나는 저 새들 보자
오직 성령의 바람에 나 맡기고
자유롭게 비행하는 저 새들 보자
공중 새 한 마리 삶도 주관하시는
아버지 그분 바라보자.

한 번 쓰러지셨던 시어머님을 모시기 위해 이사 온 파주 검문소 근처 새 집에서 나는 이삿짐 정리 후 빨래하면서 주인아주머니에게 "이 근처 제일 가까운 교회가 어디예요?"하고 물었다. 주인 아주머니는 "동네 들어오는 입구 언덕 위에 있는데 교회 다니시려거든 다른 교회 다니세요"라고 하셨다. 자기는 절에 다니기 때문에 교회 다니는 동네 사람들이 자기 집에 드나드는 것이 싫으시다는 이유였다. 나는 군병원 안에 있는 교회 다니고 아이들만 다니니까 괜찮으실 거라고 말씀드렸다. 그 집은 이층인데 일층 반지하 입구에 젊은 여성 둘이 살고, 안쪽 방 두 개와 부엌을 우리가 급히 세 들어오고 우리 방 위쪽이 주인집 안방인 듯했다. 얼마 후 어머님이 또 다시 쓰러지시고 직장으로 병원으로 동분서주하며 다니던 이야기는 전 장에서 이야기 한 바 있다. 퇴근 후 을지병원 갔다가 집에 돌아와 다음 날 애들 등교 준비까지 대략 마치고 기도 시간 갖은 후 잠자리 들면 거의 새벽 두시가 나의 일과였다. 그런데 새벽 다섯시 경이면 주인집에서 불경을 읽는 독경 소리가 어김없이 흘러나왔다. 새벽 시간 아래층에서는 방언기도, 이층은 불경이 읽어지는 집이었다. 그때 우리는 '깐순이' 라는 매우 영리한 스피츠 견을 키우고 있었고, 깐순이는 당시 임신 중이었다. 주인아저씨는 부지런하셔서 독경을 읽으신 후 마당 청소를 하시곤 했는데 잠결에 어렴풋이 마당에 있는 깐순이 똥 때문에 짜증내시며 혀를 차는 주인아저씨 소리가 들렸다. 나는 그 소리가 듣기 불편해 아저씨가 마당에 나오시기 전에 일어나 치우려니 수면 부족으로 몸이 너무 힘들었다. 그 당시 남편은 병원에서 어머님 수발하는 주간 간병인과 교대하여 야간 간병을 했고, 나는 애들만 데리고 자니까 잠옷 대신 항상 평상복 차림으로 잠자리에 들었었다. 어느 날 새벽 기도를 하는데 이상할 정도로 눈물이 나며 대성통곡이 나왔다. 깜박 잠이 들었는데 갑자기 이층에서 발자국 소리가 쿵쿵거리며 어지럽게 들려왔다. '이게 무슨 소리지?'하는데 갑자기 반지하 창문이 열리며 상기된 얼굴의 주인집 아저씨가 잠옷 바람으로 자동차 키를 달라고 외쳤다. 우리 승용차는 안마당에 세워져 있었고 경비 절약을 위해 남편은 경유차를 몰고 나갔었다. 남편이 키를 가지고 나가 지금 없다고 말하자 "에이씨!"라 하더니 문을 닫았다. 순간 "불이야"라는 소리와 함께 "가스통 치워!" 하는 고함 소리가 들리고 이게 무슨 일인가 싶어 자고있는 애들을 깨워 집 밖으로 나오니 우리 승용차는 대문 밖 논으로 밀쳐져 있고, 갑자기 펑하는 소리와 함께 불길이 치솟았다. 아무 생각 없이 집에서 조금 떨어진 곳에 쭈그리고 앉아 "하나님 감사합니다. 예수님 믿기 전 산 가구들이니 다 타버린다 해도 어쩔 수 없습니다"라고 기도드렸다. 믿음이 있다기보다 범사에 감사하라는 성경 구절이 순식간에 떠올랐고 달리 다른 방법도 없었던 터이다. 그때 새끼를 네 마리나 출산한 깐순이를 두고 나온 것이 생각났으나 이제 어쩔 수 없는 일이었다.

소방차 네 대가 오고 나는 이웃집 아주머니 호의로 애들을 데리고 잠시 피신을 한 후 남편에게 소식 전하려고 전화를 빌리기 위해 근처 가게를 두드렸다. 아침 일찍 집으로 가니 이층은 폭격 맞은 것처럼 다 날아가 버렸고 경찰들이 집 입구에 줄을 쳐놓고 조사를 하고 있었다. 우리 집이라 말하니 들어가라고 하였다. 다행히 반지하층은 약간 그을린 채로 그대로였고 안으로 들어가니 아직 눈도 못 뜬 강아지들이 끼끼 소리가 났다. 살았구나 싶어 안도의 숨을 쉬며 찾아보니 깐순이의 품에는 네 마리 새끼들이 모두 무사해 있었다. 그런데 방을 열어보니 이게 어찌된 일인가? 소방차에서 뿌린 물줄기만 창문을 타고 흘러내렸을 뿐 아무런 피해가 없었다. 오갈 데 없게 된 주인이 방 하나만 빌려달라고 해서 작은 방을 내어줬으니 세 얻는 동안에는 내가 집주인이 된 것이다.

가출하신 시어머님

살다 보니

살다 보니 알아지는 것 있네요
하나님만 믿는 거고
사람은 사랑하는 존재라는 걸
살다 보니 느껴지는 것 있네요
네가 변해야 하는 게 아니고
내가 변해야 한다는 걸
살다 보니 깨달아지는 것 있네요
내가 죽을 때에만
살 수 있다는걸
살다 보니 기억나는 것 있네요
어르신들 한마디 한마디마다
버릴 것 없다는걸
살다 보니 실감 나는 것 있네요
너와 나 다르고
각기 독특한 존재라는 걸
살다 보니 감사한 것 있네요
오늘날 나의 나 됨 모두
하나님 은혜라는 걸.

불이 난 집에서 근무지 가까운 파주시 봉일천 이층 주택으로 이사를 했다. 다행히 시어머님은 퇴원하셨고 낮에는 마침 근처로 이사 온 전에 같이 반지하 살던 아가씨가 돌보아드렸다. 출산일이 가까워진 나는 서울에 있는 산부인과에서 진료를 받아왔지만 통행금지가 있는 그 지역의 특성 때문에 혹시 몰라 근처의 산파 연락처도 가지고 있었다. 나는 그 당시 재정적으로 상당히 힘들었는데 새로운 사업을 시작했던 남편은 시어머님 입원, 수술과 맞물려 진행할 수가 없었고 수시로 촬영하며 상태 추이를 살펴보아야 하는 컴퓨터단층촬영은 의료보험 적용이 안 되던 시절이고 수술비, 중환자실과 병실입원비, 간병비등으로 부채를 안고 있을 수밖에 없었다.

추석 전날 나는 진통을 느꼈고 이미 두 번 출산 경험도 있고 집을 비울 처지도 안 되어 집에서 출산하기로 결정하고 산파에게 연락을 했다. 무엇보다 금전적 문제가 우선적 요인이었다. 막내인 딸을 새벽녘에 출산했고, 추석날 아침 토란 넣은 고기국을 들고 이층으로 올라 오신 주인아주머니께서 이를 보고 깜짝 놀라셨다. 그 당시 남편은 자살이라도 하고 싶었던 심정이었노라고 후일 회고했다. 부인은 출산해서 누워있고, 계속 돌보아드려야 하는 어머님과 바닥난 금전 문제가 본인의 무능함에 대한 자책으로 이어졌던 것이다. 당시 오만 원이던 산파 비용도 두 번에 걸쳐 나눠주었다.

그때 나는 다른 가족들에게 도움 요청할 처지가 아니었고 힘든 상황이었지만 미역국 대신 주인아주머니가 갖다주신 고기 국물로 산후조리를 시작했다. 당시 주인집 아주머니는 시어머님을 모시고 있었는데 고부 사이가 썩 좋은 편은 아니라 교회도 따로 다니셨다. 하지만 그 시어머님이 이층에 올라오셔서 애 낳은 후에는 몸을 꾹꾹 눌러줘야 몸이 제자리 잡는다 하시며 통통하게 살찐 손으로 나를 돌보아주셨다. 그때는 몰랐는데 아이 둘 낳고 신경통처럼 몸이 쑤셨던 증상이 막내 나은 이후로 사라졌으니 할머님 손길 덕택이다.

당시 남편은 개발이 막 시작되려는 강남에 사무실을 갖고 있었는데 하루는 사무실 앞 큰길가에 옆 사무실 사람들 몇 명과 함께 서 있다가 큰 트럭이 상자를 떨어뜨리는 것을 목도했다. 차는 멈추지 않고 지나가 버리고 일행 중 한 명이 상자를 뜯어보니 백화점 납품용 표고 버섯이었다. 하늘에서 떨어뜨린 그 표고버섯으로 산후기간 내내 미역국을 끓여 먹었다.

출산 후 며칠 정도 지났을까? 나는 잠시 잠이 들었다 눈을 떴는데 시어머님이 집에서 사라지셨다. 수술 후유증으로 정신이 맑지 못하신 시어머님이 며느리가 출산을 하고 누워있는 것을 보시고 화장대 위에 있는 돈을 얼마인지 가지고 장을 보러 나가신 것이었다. 연락을 받은 남편은 급히 집에 돌아왔고 집은 초비상 상태가 되었다. 시어머님 퇴원 후 가까운 봉일천 감리교회로 모시고 주일 예배를 드려왔던지라 남편이 목사님에게 교인들에게 광고해 주실 것을 부탁드렸고, 그때까지도 수술 전 깎으신 머리가 자라지 않은 빡빡머리 상태의 시어머님 인상착의를 사람들에게 수소문하며 찾아다녔다. 간호부장님에게 부탁드려 지프차를 타고 중령 복장의 부장님과 함께 부석부석한 몸으로 파주경찰서에 실종신고와 함께 수색을 부탁했다. 혹시 몰라 남편이 지인을 통해 서울 시경에도 실종신고를 했다.

때맞춰 비까지 오는지라 그냥 병원에서 돌아가시게 할 걸 길에서 객사하시나 보다 싶은 남편은 제정신이 아니었다. 연락을 기다리는 동안 우리는 서로 말없이 지냈고 마치 초상집 같은 분위기였다. 며칠 지나 나는 남편에게 오산리 순복음기도원에 가서 금식 기도를 하는 것이 어떠냐고 권했고 남편은 기도원으로 향했다.

놀다가 왔지

님 오고 계시는데

님 오신다는 소식 파다한데
간절히 사모하고 뵙기원했지만
체면이 무어라고 대열에 끼지 못했습니다
점점 더 사람들 웅성거림 커지고
그분 뵙기 위해 밀치는 몸짓들 격렬해져 옵니다
이러다 님 지나가 버리실라
겹겹이 서 있는 사람들 장벽
나는 눈먼 자 같습니다
너무나 작은 자입니다
이 기회 지나치면 다시 뵐 수 없는 분
난생 처음 과감하게 모든 겉치레 벗어버리고
돌무화과나무 위 올라갔습니다
바로 그때 걸음 멈추시고
나를 올려다보신 눈길
그분은 내 이름 부르셨습니다
얘야, 내려 오너라 오늘 내가 네 집에 유하리라
오늘 구원이 네 집 이르렀으니
내 잃어버린 너 찾아 구원하노라
그렇게 님은 나를 만나주셨습니다
그렇게 님은 나를 택해주셨습니다.

남편이 기도원에 올라간 다음 날, 나는 서울 대방동에 소재한 부녀보호소로부터 어머님이 그곳에 계시다는 연락을 받았고 신병인도를 위해 그곳으로 서둘러 갔다. 정문 접수처에 용건을 말하니 입소자 명단을 보여주었고 시어머님 일차 인도 장소가 동대문 근처 어느 병원이었다. 순간 나는 무슨 변이 생긴 것이 아닌가 하여 가슴이 덜컹 내려앉았다. 얼마를 기다리니 시어머님을 모시고 직원이 내려왔는데 얼굴이 조금 긁히신 듯하고 수척해 보이셨다. 나를 보고 씨익 웃는데 정상인 눈빛처럼 보이지 않았다. 원래 시어머님 고향은 서울 이문동이 친정이신데 아마도 집에서 나와 옛날 기억 더듬어 동대문 근처를 헤매시다 누군가의 신고로 몇 단계를 거쳐 이곳까지 인도되신 것이다.

집에 모시고 온 나는 목욕을 시켜드리고 식사를 차려드린 후 오산리 순복음 기도원으로 모시고 갔다. 마침 남편은 예배를 마치고 잠이 깜빡 들어 있었는데 내가 몸을 흔들어 깨우며 어머님을 찾아 모시고 왔다고 하니 잠결에 눈을 뜨고서는 이게 꿈인지 생시인지 하는 표정이었다. 남편이 "어머니 어디 갔다 오셨어요?"라고 하자 어머님은 "놀다가 왔지"라고 하셨다. 우리는 그 길로 시어머님을 삼 일 금식을 시켰다. 어머님은 전부 금식하는 사람들 틈에 계시니 배고프신지 어떤지도 모르시고 얼떨결에 박수치며 찬송하며 그 기간을 보내셨다. 남편은 밤에는 기도 굴에서 철야기도를 하면서 시어머님을 위해 간절히 기도드렸다. 삼 일이 지난 후 시어머님은 눈빛이 정상으로 돌아왔고 하늘에서 손이 내려와 시어머님 몸속에서 시커먼 물체를 세 마리나 뽑아냈다고 말씀하셨다.

퇴근 후 기도원에 와서 예배드릴 때 나는 비둘기 형상의 물체가 나에게 내려오는 환상을 보았고, 아마도 '이 비둘기가 성경에서 말하는 성령님 모습인가 보다'라고 짐작했다. 그래서인지 나는 다른 사람들처럼 뜨겁다든지 요란하지 않았다. 한 번은 기도원 대성전에 큰 목욕탕이 환상으로 보였는데 한 바가지 한 바가지 사람들에게 부어지는 광경을 보았다. 그 물이 부어지는 사람들마다 어떤 체험이 생겨지는 듯했다. 그 당시 시어머님과 관련되어 일어났던 일련의 사건들이 정서적으로 밀접하게 연결된 남편의 믿음을 키우시기 위한 하나님의 훈련 과정이 아니었을까 하는 생각을 해본다. 그때 이후로 남편은 자기는 기도원에 올라가기만 해도 응답받는 사람이라고 큰소리쳤고, 은혜받은 이후로 순복음 신학교에 가려고 시도했으나 잘 연결이 되지 않았다. 이렇게 사연 많은 국군벽제병원 시절을 마치고 나는 국군광주병원으로 전출되어 옮겨갔다.

2막 | 성장

불쏘시개가 되라

고통의 의미

나는 이제야 나에게 일어난 고통으로 여겨졌던
여러 사건들과 만남들이 어느 정도 이해되기 시작한다
모든 것들 합력하여 선 이룬다는 말씀처럼
그 고통 속에서 하나님 찾았고 영적으로 자라갔으며
사명 깨닫고 행할 수 있는 믿음 갖게 되었음을
고통의 열매로 이루어진 은사 없었으면
어이 하나님 나라와의 구할 수 있으리오
고통은 하나님 주신 은혜와 사랑이다
자비와 긍휼로 고통의 시간 개입하셨던 아버지처럼
나 역시 타인의 구원 역사 동참하는 통로 되게 하셨음을.

'그러므로 내가 그리스도를 위하여 약한 것들과 능욕과 핍박과
곤란을 기뻐하노니 내가 약한 그때에 곧 강함이니라' (고린도 후서 12:10)

1985년 11월, 전남 광주 쌍촌동에 소재한 광주통합병원 병원동 아파트
에 짐을 풀었다. 남편은 서울에 있어야 했고 초등학생인 두 아이와 태
어난 지 두 달 된 막내, 수술은 하셨지만 뇌 앞부분 경색과 션트를 하고
계신 완전치 못하신 시어머님을 모시고 살림하며 직장을 나가야 했다.
집에 살림하는 사람 둘 수 있는 형편도 안 되어 퇴근 후 집에 와보면 부

억 찌개는 이상한 양념으로 뒤섞여 있고, 화장실 휴지통에는 물이 부어져 있는 불안한 상황이라 모든 것을 하나님께 맡기고 출근할 수밖에 없었다.

이사 후 얼마 동안은 남편이 집에 있어야 했고 우리는 아파트 입구 가까이 있는 개척 교회에 등록을 했다. 걸음걸이가 완전치 못하신 어머님 모시고 애들과 함께 다녀야 하기 때문이다. 성도가 거의 없고 50대 후반 목사님과 몸이 건강치 못해 보이는 사모님이 계셨는데 헌금 시간에 작은 빨간 바구니를 들고 나와 깜짝 놀랐다. 설교 시간에 목사님은 큰 교회 비난하는 내용을 흥분하여 말씀하시곤 했는데 목에 힘줄이 튀어나올 지경이었다. 나는 하나님 계신 곳이니 계속 다니자 했지만 영 적응 안 되는 남편은 고민하다가 교회 옮기는 문제를 결정하기 위해 기도원에 갔다. 그 후 우리는 조금 더 걸어야 하는 큰 교회로 옮겨갔고 후에 들으니 원래 장로님이었다가 목사님 되신 전에 다니던 교회 목사님은 교단 차원에서 문제가 되어 교회를 그만 두셨다고 했다.

얼마 후 주일날 교회 가기 위해 전에 다니던 교회를 지나치는데 찬송 소리가 활기차게 흘러나와 '아! 목사님이 새로 오셨구나, 다행이네' 라는 생각이 들었다. 그런데 이상한 일은 큰 교회 앉아 예배드리는 일이 불편해지기 시작했고 자꾸 자세를 고쳐 앉아야 했다. 이렇게 2주 정도 지났을까? 새로 오신 작은 교회 사모님이 집에 심방 오셨고 그 뒤로도 몇 번 별말씀은 안하시고 반찬 등을 들고 오셨다가 앉았다 가시곤 했다. 나는 큰 교회에 몇 주 전 등록은 하였지만 전도사님에게 말씀드리고 작은 교회로 다시 옮겨갔다. 목사님 부부는 거의 성전에서 밤을 새시며 기도하시는 듯 했고 처음에는 거의 우리가 드리는 십일조와 헌금이 전부였다.

나는 이미 1984년에 첫 헌금을 십일조로 시작했었다. 목사님이 예배드리시기 위해 강단에 오를 때는 구두를 벗어야만 했는데 앞에서 예배드리는 내 눈에 너무 낡은 그 구두가 자꾸 신경 쓰였다. 어느 날 저녁 집에서 기도드리는데 내 입에서 "구두, 구두, 구두"라는 소리가 튀어나왔다. 방언 받은 뒤로 나는 공적 예배 시간 외는 항상 방언으로 기도 드려왔다. 당시 부채를 상환 중이던 나는 목사님 구두가 맘에 걸렸지만 선뜻 사드릴 여유가 없었기 때문에 구두라는 단어가 목사님 구두를 말하는 것이구나 생각하면서 기도를 계속 진행했다. 잠시 후 "티켓, 티켓, 티켓" 하는 단어가 튀어나와 기도 후 지갑을 열어보니 백화점 소액 상품권이 있는지라 그 후 조금 더해 "나도 구두가 없는데"라는 남편 목소리를 뒤로 한 채 목사님께 구두를 사드렸다.

병원 회식 장소로 광주에서 조금 떨어진 나주 곰탕집에 가는 일이 종종 있었는데 어느 날 나주에서 돌아오는 길에 행정부장님이 포도밭에 들러 우리 영관급 장교들에게 포도를 사주셔서 집에 돌아왔는데 큰 애가 학교에서 돌아오자마자 왠지 급한 마음이 들어 포도를 목사님 댁에 들려 보냈다. 나중에 알고 보니 금식을 막 마치신 목사님이 과일 가게를 지나치는데 그 향이 회가 동할 지경이었지만 개척교회 목사님이 형편이 안 돼서 그냥 사택으로 오셨는데 얼마 안 되어 우리 큰애가 포도를 들고 나타났으니 하나님 공급하심은 작은 일까지도 오묘하실 따름이다. 나도 내가 뭐가 먹고 싶다 하면 그 날 회식 메뉴는 어김없이 내가 생각하는 메뉴가 되는 것을 자주 경험했다.

한편, 광주통합병원에 첫 출근을 하면서 나는 이렇게 하나님께 여쭤보았다. "하나님 이곳에서 제가 무엇을 하기 원하시는가요?" 하나님께서는 "불쏘시개가 되라"고 말씀하셨다. 나는 "불쏘시개보다 장작불이 좋지 않습니까?"라고 반문드리자 하나님께서 "불쏘시개 역할 잘하면 장작불이 된다"고 대답하셨다. 개인적으로 나는 하나님과 교통하는 능력이 생겨져 있었다.

너는 내게 무엇이든지 물으라

난 알았네

난 알았네. 내 아버지 내가 무얼 해서 기쁘신 게 아니고
내 항상 아버지 곁 있기에 흡족히 여기시는 것
난 알았네 내 아버지 내가 앞서 행하기 바라시지 않고
내 항상 아버지와 의논하기 원하시는 것
난 알았네 내 아버지 나의 끊임없는 요구보다
내 항상 말씀 순종하기 원하시는 것
그러나 내 안들 얼마이랴
그저 내 작은 깨달음일 뿐.

군인아파트에서 병원까지 출근하려면 5분 정도 내리막길 걸어 내려와 큰 길에서 통근차를 타야 했다. 1985년 겨울, 출근을 위해 눈 덮인 내리막길을 조심스럽게 기도하며 내려오고 있는 중이었다. 갑자기 "너는 무엇이든지 내게 물으라"는 주님 음성이 들렸다. 나는 이 말을 마음에 담고 있었고 어느 수요일 오후 예배 후 같은 아파트 사는 여자 교인과 나란히 걸어 집으로 돌아오는 길에 그녀가 자신에게 일어난 일을 이야기하며 기도해 주기를 부탁했다. 나는 아파트 입구 등나무 아래 있는 의자에 마주 앉아 서로 손 잡고 그 내용을 하나님께 기도드렸고 방언을 통변 해주며 그녀가 할 일에 대해 권면해 주었다. 얼마 지나지 않아 그녀가 그 문제 해결된 결과를 말해주었고 함께 기뻐하였다.

당시 나는 병실 감독 장교로 근무 중이었고 하나님께 이렇게 말씀드렸다. "하나님 저는 공적 임무가 있기 때문에 사람들더러 내게 무얼 물어보라 할 수 없고 돌아다니며 하나님에 대해 말할 수 없습니다. 하지만 제 사무실에 하루에 세 사람 정도 보내주시면 하나님 일을 하겠습니다." 라고 말이다. 기도에 대한 응답이겠지만 하루에 서너 사람 정도 특별한 일이 없어도 내 사무실을 방문했다. 업무 시작 시간과 마치는 시간에만 간호장교들이 업무 인수인계 위해 모이기 때문에 그 시간 외에 내 사무실은 혼자 있는 경우가 대부분이었다.

사무실 방문하는 사람들에게 차 대접하며 이야기를 하다보면 자연스레 깊은 대화로 이어졌고 그들에게 있는 문제들의 해답이 나오는 것을 여러 번 경험하였다. 나는 그들의 형편과 처지를 잘 모르지만 내 안에 계신 성령님께서 그들이 가진 문제들에 대한 실마리 되는 단어나 대화로 자연스레 이끌어 가시는 것을 느꼈다. 나는 얼마 전 하나님께서 말씀하셨던 불쏘시개 역할이 이런 거라고 이해가 되었다. 내가 몇 마디 하기만 하면 불쏘시개 되어 그들 심령 안에 있는 꺼져가는 불길이 불일 듯 일어나는 것이었다. 교회를 다니든, 성당에 다니든, 불신자들이건 상관없었다. 그냥 하나님께서 나를 도구삼아 그들 안에 어떤 불길을 일으키셨다.

그때 나는 다니던 교회가 작다 보니 혼자 여러 직분을 감당했다. 여전도 회장, 회계집사, 성가대, 구역장, 주일학교 교사와 교회 사모님 심방 다닐 때 시간이 나면 함께 동행했다. 사모님은 입신 경험이 몇 번 있는 분이었고 방언은 하지 않으셨다. 내 영향이 조금이라도 있었는지 알 수 없으나 방언을 사모하시고 어느 날 받으셨다. 성품이 활달하시고 적극적인 사모님 방언은 조금은 요란했든지 목사님이 어느 날 방언하려면 김집사님처럼 하지 왜 그렇게 시끄럽게 하냐 하셨다고 한다. 나는 옆 자리 앉은 사람에게 들리지 않을 정도로 조용히 기도하기 때문이다. 어느 날 목사님이 강단 아래에서 기도 중 방언 받으셨고 사모님보다 더 요란했다며 나중에 사모님이 전해주었다.

시어머님을 높이신 하나님

선두 주자

오! 누가 그래 당신이 낙오자라고
당신은 내가 가보지 못한 길 걸어온
개척자이고 선두 주자야
자! 여기 잠시 앉아 얘기해봐
당신 걸어온 그 길
사실 아무도 우리 얘기 귀 기울이지 않잖아
전에 한 할아버지 손님이 오셨어
하나님 대신 우리에게 살아온 얘기 하시고 싶다던
저녁 먹고 차를 네 번이나 끓여오고
시간은 이미 자정 넘겼는데
이야기는 겨우 우리 태어나기 전인 6.25 더라고
격동하는 역사 피부로 겪으신 분 스토리텔링
다들 살아온 얘기 쓰면 족히 책 한두 권 될 거래
주변에 선입견 없이 얘기 들어주는 사람
한둘만 되어도 자살하는 사람 없을 거라잖아
자, 나는 들어줄 준비 되었어. 그냥 마음으로
너무 아파 드러내면 오히려 수탉처럼
쪼아댈까싶어 감추었던 그 사연
너무 부끄러워 털어놓으면
다시 상대 안 해줄 것 같은 이야기

돌고 돌아 오히려 뒤통수 때릴 것 같아

목구멍까지 올라오는 것 참았던 말들

그냥 들을께

내가 안 가본 길 뭐라 하겠어

나도 그 길 걸었으면 그보다 더

못할 수도 있었을 것을

마음 내키지 않으면 그대로 있어도 돼

오히려 허전할지 혹 후련할지 그건 모르는 일이니까

우리 앉은 자리 털고 일어날 때 손잡고 일어날까?

또 우리 손 잡아주며 몇 걸음 같이

걸어줄 사람들도 나타날거야

우리 안 가본 길 걸었던 무용담 가지고.

광주에서 얼마간 생활할 때였다. 갑자기 한밤 중에 시어머님 방에서 "으으으" 하는 신음 소리가 들렸다. 무슨 일인가 싶어 가보니 시어머님 눈이 돌아가고 온몸이 경련을 일으키며 뒤틀리고 있었다. 지금처럼 119가 있었던 시절도 아니고 나는 어머님 몸에 손을 대고 기도하며 지켜보는 수 밖에 없었다. 다음 날 병원에 모시고 가 진료 후 응급약을 받아 가지고 돌아왔다. 그때 이후로 시어머님은 몇 번의 발작을 일으키셨고 나는 혈압계와 비상용 주사약을 항상 준비해 놓고 있었다.

마음이 불안해진 나는 그때까지 미혼으로 되어있는 어머님 호적 정리를 위해 본적지의 친척에게 전화를 했다. 큰어머님에게 난 딸 넷과 아들인 남편은 호적에 올라 있지만 시어머님 호적은 따로 되어있어 가족이지만 의료보험 혜택을 못 받아 시어머님 입원비와 수술비가 비보험 처리되는 바람에 나는 더욱 금전적 고통을 겪었기 때문이다. 잦아지는 발작에 만일의 경우 대비하여 행정적 절차를 밟고 큰어머님도 돌아가신 지 오래 되셨기 때문에 뒤늦게 혼인신고를 해드렸다. 결국, 하나님께서 며느리를 통해 제자리 찾게 하신 것이다.

시어머님 병원비 때문에 생긴 부채 정리를 어느 정도 해야겠기에 병원 경리장교인 김 소령님을 찾아가 상담을 했고 함께 은행을 방문했는데 대출 조건이 안 되는 나를 위해 김 소령님은 재산 보증까지 서주셨다. 그렇게 연결된 인연은 신앙으로 연결되어 사십 년 지난 지금까지도 그 가정과 계속 긴밀한 관계를 이어가고 있다. 어려울 때 도와준 인연들의 은혜를 나는 항상 기억한다. 지금도 매일 기도하는 명단에 들어있는 분들이다. 시어머님이 병원에 계셨을 때 소꼬리 곰국도 끓여주시고, 시어머님 가출하셨을 때도 도움을 많이 주신 간호부장님이셨던 전 중령님도 잊을 수 없는 고마운 분이시다. 항상 마음에 담고 기도로 보은한다. 몸과 마음이 지쳐있을 때 격려해 주시며 힘을 실어주던 분들을 나는 '천사표'라 칭한다. 그 뒤로도 하나님께서는 얼마나 많은 '천사표' 들을 보내주셨는가? 나는 그들을 보며 이렇게 다짐했다. '도울 수 있는 자리에 있을 때 돕자. 그 자리 떠나면 돕고 싶어도 할 수 없으니까.'

개종하신 부장님

만남의 복

수없이 이어진 만남의 인연

이제 뒤돌아보니

하나도 헛됨 없는 인연들

때로 나를 경계하게 한

사람 막대기 인생채찍

시시로 나를 깨어있게 한

철이 철 날카롭게 함 같은 인연

폭풍 같았던 격랑의 인연

모진 칼 갈았던 앙심의 인연

가슴 깊은 곳 울컥 올라왔던 인연

너무 안타까워 가슴 아렸던 인연

주야로 나를 탄식케 하며 눈물 흘린 인연

너무 무거워 탄식했던 인연

나를 죽여야 살릴 수 있었던 인연

실망을 연민으로 바꿔야 했던 인연

오해임에도 한 마디 변명 못한 인연

섭섭했지만 그럴 수 있지 이해한 인연

평안으로 물 흐르듯이 보낸 인연

미소와 작은 손길 하나 설레인 인연

존재감 하나로 위로되는 인연

거리와 무관하게 든든한 인연
참으로 고마웠지만 가슴에만 담았던 인연
성숙케 하고 하나님 계시로 깨우쳤던 인연
그들은 내 인생 동반자들
하나님 내 인생 보내주신 천사들
그분 사랑 안에서 그들 보니 오늘의 나 만든
내 인생 거름 같은 고마운 분들
그들 위해 기도함은
하나님 뜻 안에서 나와 함께 걸었고
앞으로도 걸어야 할
그대들을 사랑하기 때문입니다
참으로 감사드립니다.

광주병원에서 새로 부임하시는 간호부장님을 맞으러 고속버스 정류장에 차를 가지고 마중을 나갔다. 버스에서 내려오는 부장님 손에 들린 분홍색 악어 지갑이 나의 시선을 끌었다. 얼마 전 내가 간호병과 윗분에게 선물로 드린 것인데 다시 부장님에게 주신 것으로 짐작이 갔다. 왜냐하면 영관급 장교들은 새로운 임지에 가기 전에 그 윗분에게 인사드리고 오는 경우가 상례였기 때문이다. 언젠가 나이가 더 들면 악어 가방 하나 준비해야지 하는 마음이 항상 잠재해 있는 것은 그때 느낀 작은 상실감 때문일까? 그 악어 지갑을 살 때 내 마음에 무척 들었지만 두 개를 사기에는 무리였다. 그 뒤로 해외여행이나 국내에서 가성비도 좋고 맘에 드는 걸 가끔 찾아보다가 10개월 할부로 하나 장만했는데 보관만 하다가 친정어머님 팔순 때 선물로 드렸다. 그런데 친정어머님 집에 가보면 그 가방이 안 보인다. 누굴 주셨는지 궁금하지만 선물로 드린 거라서 묻지는 않았다. 아직까지는 나는 악어가죽 가방과 인연이 없나보다.

근무처에서 나는 감독 장교로 아침에 야간근무자들로부터 보고받은 후 다시 간호부장님 사무실로 가서 업무보고 후 타 부서 감독 장교들과 함께 짧은 회의 하는 것이 일상의 일이다. 그런데 어느 날부터인가 결재 서류를 들고 간호부장님 앞에 서면 무언가 불편한 듯한 자세를 취하시는 부장님 모습이 계속 신경이 쓰였고, 내 안에서 "때가 되었다, 때가 되었다" 하는 음성이 들렸다. 하지만 아직은 사적인 얘기나 더욱이 신앙에 관한 이야기를 나눌 단계의 관계는 아니었다.

얼마 후 수도통합병원에서 군진학술대회가 개최되어 병원장님은 비행기로 먼저 올라가셨고 간호부장님과 나와 행정장교는 운전병이 운전하는 승용차로 서울로 올라가게 되었다. 뒷좌석에 간호부장님과 나란히 앉은 나는 4시간 정도 걸리는 그 길을 가면서 달리 할 말도 없고 해서 나는 그냥 살아온 얘기를 말하기 시작했다. 상대방이 마음 문을 열기 전에는 진솔하게 내 사정을 있는 그대로 말하는 것이 좋을 것 같았고, 부하인 내가 조용한 성품이신 그분과 어떤 식으로든 대화를 이끌어 나가야 할 것 같은 부담감도 있었다. 자연스럽게 신앙에 관한 대화도 물꼬를 트게 되었고 간호부장님은 생도 시절 원불교 신앙생활 하신 분임을 알게 되었다.

그 뒤로 상하관계이기 때문에 나는 출석하던 교회 목사님 부부에게 소개해 드려 상담 시간도 갖게 해드렸고 나 또한 개인적 접촉으로 함께 기도하는 시간에 그분에게 방언이 임했다. 그 당시 내가 다니던 개척교회는 봉고 버스가 필요해 기도 중이었는데 하루는 병원에서 점심시간 지난 후 부장님이 찾으셔서 사무실에 올라가니 통장을 주시면서 이것이 전부인데 교회에 헌금하고 싶다 하셔서 그 돈으로 교회 봉고버스를 마련했다.

한편, 남편과 떨어져 주말부부이신 간호부장님 가정에 미묘한 기류가 형성되고 있었다. 주로 남편분이 광주로 내려오셨는데 낯선 기독교 성구가 걸려있는 분위기 등 내 집에 온 것 같지 않다고 말씀하신다고 전해주셨다. 그래도 특별히 큰 논쟁은 없으신 듯했다. 그 뒤로 남편이 신학 공부를 위해 미국으로 가려고 계획하고 있을 때 내 머릿속에는 두 분이 순간적으로 떠올랐다. 현재 간호부장님 남편분과 소꼬리 곰탕 해주셨던 간호부장님 남편분이었다. 부장님에게 혹시 남편께 미국에 가서 신학을 공부하실 의향이 있으신지 넌지시 말씀드려 보라고 말씀드리니 어림없는 소리라며 펄쩍 뛰셨다. 하지만 결국 간호부장님 남편분은 미국행을 선택했고 후에 목사님이 되셨다. 다른 간호부장님 남편분은 참으로 성실하시며 성공회 교회에서 중책을 맡아 신앙 활동도 활발히 하시다가 몇 년 전 폐암으로 돌아가셨다. 요즘 같은 장수 시대에는 아쉬운 나이이며 두 분 사이에는 자녀도 없으셨는데 참으로 안타까운 마음이다.

예언의 확증

대변자

하나님은 신묘막측 기기묘묘하시니
우리가 생각지 않았던 기사와 이적을 행하시네
날 불러 구원하시고 사명 주시며
연단 가운데 정금 같이 훈련 시키셔서
비전가지고 오직 믿음으로 나아가게 하시네
내 눈물 씻기시는이여! 내 잔 넘치나이다
내가 보고 들은 주님 은혜 이제 나눠 갖기 원합니다
말씀 일점일획도 땅에 떨어짐 없으심이여
한 송이 백합처럼 공중 나는 새처럼
온전히 의지하고 신뢰하며 하루를 감사드립니다
세우소서 높이소서 하나님 자녀 권세
만방에 선포하소서
전신갑주 입고 하나님 군사로 나아가는 자 인해
원수 벌벌 떨며 땅이 진동하게 하소서
하나님의 자비와 긍휼과 사랑, 만인이 알도록
도구로 사용하소서
오! 신실하시고 미쁘신이시여
반석 위 뿌리박은 이 믿음
지진 나고 해일 일어나도 흔들림 없습니다
솔로몬 지혜와 다윗 시성으로 함께하소서

갈 곳 몰라 방황하는 양 무리들에게
주님 음성 들려주는 대변자 되게 하시며
무엇보다 겸손함으로 섬기며
하나님 뜻 분별하는 고요함 속에
바른 길 가도록 인도하소서
나의 안식처와 피난처 되시는 여호와시여
세상의 분요함이 나로 하여금
성령님 세밀한 음성 듣는 일 방해되지 않게 하소서
허탄한 것 마음 두지 않게 하시고
선하고 의로운 일 전념하게 하소서
오! 생수의 강 흘러넘치나이다
발길 닿는 곳마다 에스겔 골짜기 부어졌던
생기 넘치도록 하소서
갈라진 곳 합하시고 무너진 곳 보수하시며
분열 있는 곳 일치하게 하소서
하나님 군사로 나아가는 자 생활 얽매이지 않고
일군 그 삯 받는 것 마땅하오니 공급하시는 그 은혜
선한 청지기로 잘 관리하게 하소서
한 영혼 천하보다 더 귀하오니 그 영혼 잘 인도하여
하나님 나라 확장 선봉대 되게 하소서
눈 열어 주의 기이한 법 보게 하소서
천군천사 우리 돕나이다
전진하는 십자가 군병 능력으로 입혀주시고
낮은 자 돌아보는 긍휼 허락하소서
만 입 있어도 오직 내 할 말
여호와께서 내 생명 구원자요 주관자이십니다.

목사님 아이들과 우리 아이들은 같은 초등학교를 다녔다. 어느 날 학교 행사장에서 교회 사모님을 보았는데 입술이 두껍게 부풀어 올랐다. 무슨 일인가 싶어 물어보니 밤에 잠자는 중에 불을 받아 입술이 다 타서 그렇다고 말씀하셨다. 며칠 지나 휴가 중이라 집에 있는데 교회를 가 보아야겠다는 마음이 급하게 들어 교회로 갔다. 교회 입구쯤 가니 사람들이 줄지어 서 있었다. 아래층은 약국이었고 이층이 교회였는데 통로까지 사람들로 차 있었다. 무슨 일인가 하여 교회로 들어가니 사모님이 예언이 터지고 소문이 나서 사람들이 기도 받는다고 몰려든 것이다. 그때 사모님을 보니 어떤 사람을 보면 그 사람에 대한 과거를 줄줄 꿰고 계셨다. 내 생각에 사모님이 절제가 필요한 듯해서 마침 휴가 기간이라 그로부터 며칠 간은 교회로 출석했다.

사모님이 상담하실 때 나는 곁에서 중보하며 속으로 기도를 했는데 사모님과 나의기도 내용이 같아 놀라운 생각이 들었다. 전에 하나님께서 "너는 무엇이든지 내게 물으라"고 하셨지만, 나는 누구에게 가서 나에게 무엇을 물어보라 말할 수도 없어 그 말을 마음에 담고 있던 차였다. 하지만 내용은 같았으나 서로 배경이 다른지라 어휘상 차이가 났다. 예를 들면, 사모님이 앞에 앉은 이에게 "너는 하나님이 어여삐 여기는 자라" 할 때 나는 "너는 하나님 앞에 아름다운 자라" 정도의 차이였다. 나 혼자 방언으로 기도할 때와 달리 이렇게 며칠 동안 여러 사람들을 대하고 기도하다보니 예언에 대한 자신과 확증이 생겼다.

그 뒤로 어느 날 경리장교가 보증 선 돈을 은행으로부터 빌릴 수 있었는데 비록 빌린 돈이지만 십일조를 드리고 싶어 남편과 의논했다. 남편은 빌린 돈까지 십일조를 하냐며 "차라리 교회 오르간을 하지"라고 말했다. 내가 결정을 못하고 있는 상황에서 며칠 후 교회 사모님이 집에 심방을 와서 기도 중에 나더러 교회 오르간을 헌물하라 하셨다. 나는 교회에 오르간 구입비 명목으로 헌금을 드렸다. 그 당시 남편과 나는 교회 초대 집사였다. 처음에는 우리 십일조와 헌금이 거의 전부였는데 병원 내 다른 장교들도 전도가 되어 그중 일부는 헌금을 드렸고 또 교회 성도들도 늘기 시작하여 많지는 않지만 어느 정도 규모가 잡혀갔다. 남편은 서울에서 내려올 때마다 교회 문에 방충망을 단다든지 난로를 놓는다든지 손으로 하는 봉사로 교회를 많이 섬겨주었다. 우리 부부는 교회를 둘러보며 교회에 필요한 것들이 눈에 들어오면 그것을 하고 싶은 소망을 계속 가지고 노력을 했다.

1988년 3월, 나는 광주대학교 전산학과 야간에 편입하여 다니기 시작했다. 내가 입학하던 당시 국군간호사관학교는 지금과 달리 3년제로 다음 진급을 위해 경력 관리를 해야겠기에 결정한 것이다. 이번에는 목사님이 등록금도 도와주셨다. 그해 12월, 나는 국군원주후송병원으로 발령 나 광주를 떠나왔다. 그곳에 있을 때 하나님은 목사님 가정과 가족처럼 지내게 될 거라고 말씀해 주셨는데 그 후로도 계속 연락을 취하고 대소사를 의논하곤 했다. 사모님은 나중에 목사 안수 받으셨고 활동하시다가 뇌졸중으로 오랜 투병 생활을 하시다 2022년에 안타깝게 돌아가셨다. 입원 중인 병원에 병문안 갔을 때 사모님은 말씀은 못하시지만 눈물을 흘리셨다. 코로나로 그 뒤 병문안을 할 수 없었고 크고 작은 수술과 시술 간 목사님의 연락이 오면 중보기도로 마음을 다했다. 장례식장에 도착했을 때 주일학교 교사 시절 초등학생들이던 자제분들을 참으로 오랜만에 만났다. 장성하여 다 결혼했고 어릴 적 모습은 많이 남아있었다. 영안실에 들어가 예를 다하고 신발을 신는데 하나님께서 "이 딸이 자녀들 구원을 위해 이 땅에서 수고했다"라고 말씀해 주셨고 이를 자녀들에게 전해주었다.

집이 필요해요

아버지 집

혹 불면 없어질 인생들아
혹 태우면 없어질 공적들아
인생이 얼마나 길다더냐
한 순간의 꿈인 것을
네 자랑 무엇이냐
네 슬픔 무엇이냐
빈손으로 왔다가 빈손으로 가는 것을
허탄한 것 찾아 헤매고
목마름으로 애태우는도다
아! 지치고 서러운 인생들아
여기 값없이 초대하는 하나님 은혜 있도다
네 보물 하늘에 쌓으라
말없이 품으시는 아버지 집에.

다음 근무지가 원주임을 알게 되었을 때 나는 왠지 이번에는 군인아파
트 살고 싶은 마음이 들지 않았다. 무슨 대책이 달리 있는 것도 아니어
서 나는 막내를 등에 업고 방에 앉아 집이 필요하다고 하나님께 떼쓰듯
울며 기도했다. "다 예비되어 있다"라고 응답 주셨지만 여전히 막막한
기분이었다. 마침 원주 KBS 방송국 아나운서로 근무하는 여고 동창에
게 변두리라도 좋으니 집을 알아봐 달라 부탁했다. 얼마 후 주말에 시

간 내어 집을 알아보려 남편과 함께 원주로 향했다. 친구 집에서 하룻밤을 보내고 우리 부부와 친구는 먼저 근무하게 될 국군원주후송병원 근처로 갔다. 그동안 친구가 원주 변두리를 알아 보았지만 화장실도 재래식이고 무엇보다 수도가 밖에 있어 생활하기 힘들겠다고 말해주었기 때문이다.

전세 자금이 준비되지 않은 나는 마땅한 집 찾는데 자신감이 없어 그냥 차에 앉아있었고 남편과 친구가 병원정문 옆 가게에 들러 혹시 근처에 셋집이 있는지 물어보았다. 그런데 마침 준비된 것처럼 가게 주인이 자기 안집이 비워져있다고 했다. 그 근처는 미군부대가 있어 미군들에게 세주려고 수세식으로 개량된 주택들이 얼마간 있었다. 그 집도 세 살던 미군이 떠나 비워져 있던 방이 세 개이고 실내외 각각 화장실이 두 개이며 집안에 주차도 가능한 마당 있는 집이었다. 더욱이 주인 말이 자기는 보증금도 필요 없고 월 30만원만 주면 된다고 했다. 그렇게 해서 나는 그 시절 군인들은 누구나 군인아파트에 살았음에도 불구하고 하나님 말씀하신 응답처럼 이미 예비 된 그 집으로 이사했다. 아마 병원에서는 여유 있어 군인아파트에 살지 않고 개인 주택을 산다고 생각했을지도 모르겠다. 그 당시 군인아파트는 넓어야 15평, 보통 13평 정도였다.

한편, 어느 누구와도 함께 사시지 않고 서울에서 혼자 지내시던 시아버님이 원주로 이사 간다고 인사차 들렀을 때 아버님은 우리와 함께 사실 의향을 보이셨다. 그렇게 해서 시아버님과 시어머님은 함께 생활하시게 되었고, 나는 안방으로 두 분을 모셨다. 그때 시아버님은 대장암 수술을 받으셨고 거의 액체 상태의 식사 종류만 드셨다. 나는 영양제도 놔

드리고 가끔 관장도 해드려야 했으며 골고루 즙을 내기 위해 다양한 조리법을 연구해야 했다. 대전에서 근무하던 남편은 원주에 올라올 때면 아버님 즐겨 찾으시던 우렁이를 구해와 그 삶은 물을 드렸다. 때때로 퇴근하려면 환자 상태인 두 분과 아이 셋을 감당하는 것이 힘들어 우울하기도 했지만 한 편으로 하나님께 감사드렸다.

시아버님에게 교회 다니실 것을 권유드렸고 시아버님은 군인교회에 딱 한 번 출석하시고, 십일조 헌금 한 번 드리시고, 군목사님이 집에 오셔서 세례 문답 후 세례를받으시고 6개월 후 83세로 시어머님과 아들 며느리 손주들 앞에서 돌아가셨다. 상여도 군병원교회에 다니던 군의관들이 메었고, 군 병원에서 차도 내주었고 장례식도 다 주관해 주어 마지막을 하나님 은혜와 그리스도인들 호의 가운데 하나님 아버지 집으로 가신 복이 많으신 분이었다. 깔끔하신 성격의 시아버님은 어쩔 수 없이 간호사 며느리가 해드리는 관장도 받으셨지만, 그전까지는 실외 화장실을 사용하셨다. 며느리와 함께 사용하는 것을 거북하게 여기신 탓이다. 이렇게 이 집은 시아버님 모시고 살도록 완벽하게 하나님께서 예비해 주신 집이었고 하나님 아버지 집으로 돌아가시기 위해 잠시 머무신 집이 되었다.

요나 같은 남편

추적

시내 산 올라간 모세만큼 적당한 거리 두고

산 아래 사역자 그늘에 묻혀

어느 정도 물질과 시간 드리고

이만하면 내 할 도리 다한 냥

지칭하는 그리스도인

보통은 다 그러지 위안하며

일상에 묻혀 살다

마음 짓눌려 고통스러울 때

먼지 묻은 성경 털고

특별한 행사인양 작정하고

요행바라는 심정으로 스스로 공적 헤아리며

하늘 향해 흥정하지

이만하면 됐다 마음 놓고 있을 때

어김없이 찾아오는 삶의 파고

포기하지 않으시고 쫓으시는 발자국 소리

주여 이만하면 족하지 않으십니까

삶에 2% 부족함 주시어

내가 여기 있다 알려 주시네

타협과 흥정 속 주저앉은 나를

그 음성 들을 때까지 멈추지 않으시고

온전히 갖기 원하시니
십자가 없이 나누려는 영광으론
내 자녀 될 수 없다 하시며
잊지 않고 보내시는 초대장
너를 포기하지 않으면
결코 내 것 될 수 없음에
가장 첩경으로 돌이키라고
계속 뒤 좇으시며
나와 동행하고 내 음성 따라
순종하는 것이 네 지복이라
가장 선하신 길로 오라는 부르심
이제 자격 없는 나 바라보지 않고
오직 그분 따라 그 길 가려네.

요나는 성경 요나서에 나오는 인물로 하나님으로부터 조국 이스라엘을 괴롭히는 적국 아시리아 수도인 니느웨로 가서 하나님 말씀을 선포하라는 말씀을 받았다. 그러나 순종하지 않고 다시스로 가는 배에 올랐다가 풍랑이 일어 배가 전복될 지경이 되었다. 이에 선장과 선원들이 재앙의 원인을 찾기 위한 제비뽑기에 요나가 뽑혀 재앙의 해결책으로 바다에 던져진 후 큰물고기 뱃속으로 들어가 하나님께 서원기도 드리고 3일 만에 물고기 뱃속에서 토해진 후 살아나 하나님 명령을 다시 수행한 인물이다.

남편은 결핵으로 진단되어 국군마산통합병원에 입원해 있었던 일등병이었고 나는 육군 소위 임관 후 첫 부임지가 국군마산통합병원이었다.

외아들이라 굳이 군대에 오지 않아도 되었던 남편은 군에 입대했고, 고등학교 시절 앓았던 석회화된 결핵 흔적을 근거로 국군마산통합병원으로 후송되었다. 갑종으로 들어온 군대를 그 앓았던 흔적으로 인해 국군마산통합병원에 온 후 나를 만났다. 당시 남편은 신앙생활을 하지 않고 오히려 교회 다니는 사람들을 핍박하던 편이었다. 하지만 남편은 나로 인해 기도의 필요성을 느꼈고 새벽 아무도 없는 시간에 교회에 나가 "하나님 저 김 소위를 아내로 주시면 하나님 일을 하겠습니다"라고 서원기도를 했다. 서원기도란 하나님께 지킬 것을 전제로 응답을 기대하며 맹세하는 하나님과의 약속기도이다. 그 기도 후 얼마 되지 않아 남편은 의병전역을 했다.

한편, 나는 소위 임관 며칠 전 아버님께서 돌아가시고 난 후 서울 우리 집은 터널 부지로 수용되어 전세금 상환 및 집에서 하던 요꼬 공장 사업도 문 닫게 되면서 마치 요나가 탄 배처럼 격랑 속에 휘말리며 침몰해가던 중이었다. 그 당시 휴일이면 간호장교 숙소 휴게실에는 숙소 당번병과 수술실 감독 간호장교이시던 소령 선배님, 야구광이던 동기와 내가 거의 늘 자리해 텔레비전을 보거나 약간의 대화를 나누었다. 어느 날 미혼이셨던 소령 선배님과 단둘이 있을 때 내 상황을 말씀드리며 조언을 구했다. 선배님은 자신 역시 집 뒷바라지하다가 결혼도 못했는데 동생들이 장성한 지금도 자신만 의지하고 비가 내려 천정에서 구멍이 나도 자신이 올 때만 기다린다고 지금은 후회된다하시며 내게 결혼할 것을 권유하셨다. 나는 그 말을 마음에 담고 당시 집에 갈 상황도 안 되었기에 차라리 일찍 결혼해서 열심히 살면서 집을 도와주기로 마음을 정했다.

나보다 세 살 위인 남편은 서울 토박이로 전역 후 우리 집에 드나들고 있었으며 나는 국군마산통합병원에서 근무 1년 후 중위가 되었고 3개월 후 국군부산통합병원으로 전속 가는 사이 짧은 휴가 기간에 결혼식을 올렸다. 남편은 돈을 많이 벌어 교회 일을 많이 하는 장로가 되겠다고 생각했지만 하나님 뜻은 다르셨고 목회자로 부르시는 계획이셨다. 남편은 짐짓 잊고 있었지만 하나님은 서원기도를 잊지 않으셨고 그 길로 몰아가셨다. 평신도 신앙생활로는 하나님을 만족시켜드리지 못한 것이다. 그즈음 8차선 도로 맞은편에서 브레이크 파열된 버스가 경사로를 내려오며 남편이 운전하던 차와 충돌하여 쭈그러트린 앞 범퍼를 겨우 펴고 나왔지만 다행히 경한 타박상으로 병원에 2주 동안 입원 치료를 해야 했다. 그리고 운전하던 중 갑자기 심한 위장 출혈로 피를 토하며 병원에 입원 치료하는 상황도 겪게 되었다. 그뿐만 아니라 모르는 사람들이 자꾸 혹시 전도사님이 아니시냐고 물어보거나 심지어 이발을 하러가도 미용사가 그렇게 물어왔다. 하나님께서는 다양한 방법으로 남편의 주의를 환기시키셨지만 목회자의 길에 자신이 없던 남편은 원래 전공이던 조소에 미련이 남아 공부를 위해 일본으로 떠났다. 그곳에서 일본의 향락 문화와 성적 타락에 대한 실상을 본 후 말세라는 인식을 하고 귀국하여 미국 리버티대학교 신학대학 한국 분교 과정에 입학을 했다. 마침 그곳에 오셔서 강의하시던 미국 워싱턴 침례신학대학 학장이시자 성서대학교 대학원장이시던 김호식 박사님을 만나 미국으로 건너가 40세에 늦깎이 신학생 생활을 시작하게 되었다. 하나님과의 약속은 피할 수 없는 일로 결혼 후 14년 만에 순종을 한 것이다.

국군원주병원

당신은

제 짐 너무 무거워 짓눌릴 때
내게 와 맡기며 쉬라 하시고
인생 바다 깊은 물 빠져 들어갈 때
당신만 바라보고 물 위 걸어 오라하십니다
내 영혼 갈한 목마름 타들어가는 그때
흘러넘치는 생수 마시러 오라 하시며
제 소명 당신 앞 잠잠히 여쭐 때
사람 낚는 어부로 따라오라 하십니다
선택의 기로 망설임으로 주저할 때
좁은 문으로 들어가라 하시며
당신께 아뢴 저의 간절한 소망
평안으로 제게 돌아가라 하십니다
낙심하며 주저앉아 일어서지 못할 때
네 자리 털고 일어나 가라하시며
세상에서 저 품꾼 쓰지 않을 때
당신 포도원으로 가라하십니다
피조물들 탄식함으로 당신 향해 부르짖을 때
유다의 사자로 오시는 심판자
파수꾼들 소리 높여 노래할 때
영광과 위엄으로 오시는 급한 강물

전에 계셨고 이제 계시고 장차 오실 이
때가 되면 지체 없이 오시리니
너희는 주의 길 곧게 예비하라
이를 위해 우리 부르신 당신.

국군원주병원은 대위 시절 근무하던 병원으로 영관장교가 되어 두 번째 부임한 병원이다. 이곳에서 큰 딸과 아들은 초등학교를 졸업했다. 막내딸은 네 살로 몸이 불편하신 시어머님께 맡기기는 안심할 수 없어 교회에서 운영하는 선교원에 보냈는데 약간 거리가 있어 제일 먼저 데리러 오고 가장 나중에 데려다주는 순서로 몸에 버거웠든지 선교원에서 오는 즉시 잠들어 다음 날 선교원에 갈 때까지 일어나지 못해 깨워 보내는 일이 힘들었다. 방송국 아나운서로 근무하는 친구는 아버님이 전에 한약방을 하셔서 1년에 한두 차례 보약을 다려 식구들이 먹고 있었는데 마침 막내 이야기를 듣고 용 다린 탕약을 가져다주어 기력을 회복하고 튼튼하게 자라주었다.

어느 날, 아나운서 친구 아들 스터디그룹에 속한 아이 어머님과 함께 방송국 친구가 찾아왔다. 친정에 있을 때 신앙생활을 했으나 지금은 교회를 가지 못하고 이북 출신 시부모님 밑에서 심한 시집살이로 힘들어하는 맏며느리였다. 원주에서는 잘 알려진 집안이라 일반교회에 십일조를 드리면 소문이 나 불신자 시부모님이 아시는 것이 꺼려져 나를 통해 십일조를 군인교회에 드렸고 상담과 기도도 해드렸다. 이렇게 이어진 인연은 40년이 다 되어가는 지금까지도 물질과 기도로 후원해 주시는 동역자시다. 시아버님 돌아가시고 얼마 후 나는 군인아파트로 이사를 했다. 그때 군인아파트는 연탄 난방을 하던 시절이라 연탄파동으로 배

달이 안 되는 어느 겨울, 남편과 나는 손수레 빌려 사 온 연탄을 복도에 있는 작은 창고에 보관한 뒤 흐뭇해하던 추억도 있다.

그 당시 제1야전군사령부 사령관님은 기독교인으로 병원 안팎으로 기독 장교회 활동이 활발하였고 나는 병원교회에 출석하였다. 교회 나오는 환우들을 위해 군의관, 의정장교, 간호장교, 그 가족들이 떡국도 많이 끓이고 병원 사병들의 야외훈련 때는 수제비 등을 끓여 훈련장 방문과 야간 보초 사병들 위해 따뜻한 차도 돌리며 한마음으로 봉사활동을 하였다. 국군원주병원은 후송병원이라 전방에서 입원한 군인들이 후방에 가기 위해 잠시 머무는 곳으로 교회 환우들도 자주 바뀌는 급여울목 같은 곳이다. 그렇지만 이곳에 입원한 많은 군인들이 변화를 받아 신앙의 사람으로 바뀌었다. '미국을 움직이는 작은 공동체 세이비어 교회'를 쓴 유성준 목사님도 이곳에서 1976년 회심했다는 간증을 읽은 적이 있다.

신기한 일은 내가 예배 준비를 위해 뒤에 서 있을 때 전부 깎은 머리한 환자복과 군복 입은 군인들 뒤통수만 보아도 목회자가 될 사람을 하나님께서 알게 해주시고 우연한 기회에 그들과 대화가 이루어져 일반대학 다니던 환우도 나중에 신학대학으로 진로를 바꾸고 의정장교 한 분도 전역 후 신학 공부를 하게 되었다는 사실이다. 매주 목요일 저녁에는 자원하여 기도회를 인도했는데 처음에는 몇 명 정도 나오더니 시간이 지날수록 예배실은 가득 차고 뜨겁게 기도회가 진행되었다. 찬송과 기도를 번갈아가며 진행한 기도회 1년 동안 환우들이 기도할 때 나는 친정 식구들의 구원을 위해 전심으로 기도드렸다. "주 예수를 믿으면 너와 네 집이 구원 얻는다고 성경에 말씀하신 하나님 제가 믿사오니 친정 식구들을 구원시켜 주세요" 이렇게 드린 기도는 후일 다 응답 되어 영육 간에 주 안에서 다 형제 자매가 되었다.

간호부장님이 바뀌어 국군벽제병원에서 함께 근무한 소꼬리 곰탕 해주신 부장님과 다시 만났다. 군인아파트 정문 앞 감리교회 주일학교에 아이들은 출석했고 같은 군인아파트에 사시는 부장님과 나는 새벽예배에 자주 참석했다. 광주에서 편입한 대학 과정을 다 마치지 못하고 전근을 와서 일 년 동안은 주말마다 광주에 내려가 마침내 졸업을 했고, 광주 목사님 부부와 교회 식구들이 졸업식에 참석하여 축하해 주셨다. 나는 어느덧 소령 6년 차로 소령에서 중령으로 진급 들어가는 거의 막차 탄 시점으로 진급에 대한 기대를 접고 미국 간호사 시험을 보아 미국으로 가려는 계획을 세웠다. 그 당시 이 시험을 주관하는 학원은 서울과 부산에만 있었는데 추운 원주 생활을 겪었던 나는 따뜻한 부산으로 가겠다고 결정한 후 육군본부 인사담당자에게 의사표시를 했고, 1991년 3월 국군부산통합병원으로 근무지를 옮겼다.

마지막 군 생활

수신기

내 안에 임을 향한 수신기 있어
주파수 맞추고 항상 귀 기울이지
다른 생각 사로잡혀 분주한 일상에선
들을 수 없는 임 목소리
훈련된 집중과 몰입으로 오랜 시간
함께한 그 친근하신 음성
위로와 격려로 인도하심은 한 번도
어긋남 없는 신뢰와 확신으로 내게 들려와
나를 멈추라 진행하라 잠잠히 지켜보라
말씀 하시는 세상 그 무엇보다 귀하신 말씀
내 인생길 나침판 내 딛는 한 걸음 걸음
한 치 오차 없이 이끄시는
시온의 대로 향한 의와 진리의 길
결코 혼자 갈 수 없는 그 길
그분 말씀만이 나의 빛과 등불
나 사랑하는 이들 향해 목소리 드높여
손짓하며 부른다, 우리 다 함께 가자고.

군 생활의 마지막을 보내기 위해 국군부산병원으로 온 나는 군인아파트 안에 따로 구분된 병원아파트에 살림을 풀었다. 중령 진급이 거의 불확실해지고 계급 정년에 해당되는 해는 1994년으로 앞으로 삼 년 반 후 전역하면 연금을 받게 된다. 이곳은 1976년과 1977년 사이 9개월쯤 중위로 근무한 적 있는 두 번째 근무지이다. 큰딸과 아들은 각각 중학교 과정에 들어갔고 막내는 초등학교에 들어갔다. 남편은 계속 미국에서 신학대학 학업 중이었고 시어머님도 계속 모시고 있었다. 그러나 시어머님이 점점 쇠약해지셨고 마침 한국에도 워싱턴 침례신학대학 과정이 개설되어 남편은 한국으로 돌아와 부산에 있는 기독교한국침례회 소속 교회에서 전도사 임직을 받아 교회를 섬겼다.

1993년 4월 21일 새벽, 시어머님이 돌아가셨다. 뇌출혈로 쓰러지시고 10년 세월 병석에서 보내신 시어머님은 벚꽃 만발한 길 따라 양산 소재의 솥발산 공원묘지에 묻히셨다. 직장에서는 나더러 효부라 하며 모범 간호장교상을 주어야 한다고들 했지만 정작 나는 그 10년 기간이 우울했고, 힘들었고, 부끄러운 시간들이다. 장례 치르고 돌아오는 장례식장 버스에서 창문을 열지도 않았는데 "수고했다"는 미세한 음성이 뺨을 스치는 바람결에 귀에 들렸다. 나만이 알 수 있는 일이지만 나는 지금도 시어머님이 하신 말씀이라 믿는다.

교회에 다녀오던 어느 날, 차창 밖으로 스쳐 지나가는 교회 간판들을 바라보며 '우리는 언제쯤 교회를 시작하며, 교회 이름을 무어라 짓지?'하는 생각을 문득하는데 하나님께서 '만남의 집-나눔교회-누림관' 이라는 이름들을 시리즈로 주셨다. 당시 간호부장님은 교회에 다니셨는데 어느 날 부흥 집회에 함께 가자고 하셔서 동행을 했다. 그곳에서 강사 목사님이 기도해 주셨는데 "한국에서는 머리가 되고 미국에서는 꼬리가 된다"는 일종의 예언적 내용이었다. 미국에 계신 학장님은 남편에게 미국에 와서 목회하라고 권유하셨지만, 이민 2세대까지 감당할 만한 소통 능력이나 여러 면을 두고 기도하던 남편과 나는 미국에 가려는 계획을 접었다.

남쪽의 따뜻한 기후도 마음에 들고 애들도 한창 학교에 다니는 시기인지라 마지막 근무지인 부산 근처에 자리를 잡으려고 땅을 보러 다녔다. 미국에서 공부하던 남편은 교회에서 정기적으로 수양회 실시하던 수양관에 감명을 받아 전원교회를 마음에 두고 건축을 소망했다. 남편의 기도 제목은 '내 땅 사이로 계곡물이 흐르고 적어도 500평은 되어야 한다'는 것이며 나는 '먹거리, 볼거리가 좋고 교회가 없는 곳'이라는 제목으로 기도했다. 나는 수중에 자금이 없으면 알아보지도 않는 성격인 반면, 남편은 돈과 무관하게 소망하는 것을 계속 찾고, 보고, 비교하는 성격이다.

어느 수요일 오후, 시간을 내어 남편이 밀양 소재 땅을 보러가자고 해서 부동산 업자를 만나 동행했다. 동아대학교 미대 교수인 남편 친구가 도자기 때문에 가끔 밀양에 가는데 산수가 좋다고 추천해주어 땅 보는 범위가 밀양까지 확장되었다. 부산 근교는 땅값이 비싸 엄두가 나지 않기도 했다. 그 땅은 표충사 가는 길 한 마을 안쪽 산자락 몇 가구 있는 곳으로 네 필지 합해 대지 328평, 계곡 건너편에 500평 정도의 밭이었다. 대지 입구엔 두꺼비 바위라는 큰 바위가 있고 그 밑에 예전 주민들이 식수로 사용했다는 샘도 있었다. 그 뒤로 200평 가량 땅이 더 있어 대나무가 무성했다. 대지에는 큰 감나무 네다섯 그루, 계곡 옆으로 큰 살구나무, 나머지는 대추나무가 심어져 있고 뒷자락 끝으로 작은 계곡이 더 있어 오죽이 심어져 있었다.

우리 둘의 기도 내용과 거의 일치되는 장소였으나 막상 계약금도 없었다. 수요예배를 위해 서둘러 교회에 도착했고 항상 정장 입은 남편 옷차림이 평상복에 등산화임을 보고 교회 김 집사님이 "전도사님, 어디 다녀오시는 길이십니까?" 라고 묻자 남편은 무심코 "마음에 드는 땅을 보고 오는 길인데 계약금 300만 원 정도만 있으면 계약을 할 수 있는데"라고 말끝을 흐리며 대답했다. 예배 마치고 집에 돌아와 저녁을 먹으려 하는데 김 집사님이 전화를 하셨다. "전도사님 그 땅이 마음에 드시면 300만 원 빌려 드릴테니 계약을 하십시오."라고 말이다. 이렇게 해서 우리는 일단 그 땅을 계약했다.

나눔교회 개척

성전 문지기

내 아버지시여 이루시고 행하소서
제 형편과 처지 아시며 제가 간구하는 오직 한 가지
당신 궁정 문지기로 있는 것이 좋사오니
당신 임재 허락하시고 당신 주시는 능력으로
힘닿는 대로 당신 나라 이루게 하소서
제게 주신 그 비전과 약속들 당신 때에 이루소서
저는 단지 당신 밖에는 아무런 소망도 없고
능력도 없는 아무것 아닌 죽은 존재입니다
당신께서 저 살리고 소망과 능력 주셔서
당신 의중대로 저 돌보시고 인도 하소서
단지 그것뿐입니다
하늘에서 이루어진 뜻 저 통해 제 분복과 분량만큼
이루어지게 하소서
제가 당신 안에 영혼의 닻 내렸사오니
내 주여 저를 한시도 잊지 마시고 돌아보소서
제 소원 당신 자녀들 당신 알게 하시고
사랑받고 사랑하게 하시고
당신 위해 살고 경외하게 하사 악에서 떠나
당신의 성스러운 이름 대대로 후손들에게
알리는 것뿐이오니 아버지여 이루소서

신랑이여 행 하소서 친구시여 알게 하소서
저와 함께 하소서 당신 임재 허락하소서
당신 능력 임하소서
제 영혼 드리오며 산 제물로 나아가니 받으소서
제 유일하신 아버지 신랑 친구시여.

'주의 궁정에서의 한 날이 다른 곳에서의 천 날 보다 나은즉
악인의 천막에 사는 것보다 내 하나님의 성전 문지기로 있는 것이
좋사오니' (시편 84:10)

남편과 나는 군인아파트에서 후배들과 아는 집사님들 대상으로 성경 공부를 해왔지만 교회 개척을 이렇게 일찍 하려던 것은 아니었다. 그런데 우리가 밀양에 땅 샀다는 소식을 듣고 대전에서 한 가정, 서울에서 한 가정이 같이 교회를 개척하겠다고 우리보다 먼저 밀양으로 와서 자리를 잡았다. 그들과 함께 예배를 드려야 하는 필요가 생겼고, 이미 나눔 교회라는 명칭도 하나님께서 주셨기에 교회를 세우기로 결정하고 1993년 9월 5일, 군인아파트에서 세 가정 12명이 창립 예배를 드렸다. 마침 그날은 내 생일이었고 나는 하나님께서 선물로 교회를 허락하셨다고 생각했다. 대전에서 내려오신 집사님 가정은 직장을 그만둔 상태라 직장 구할 때까지 집세를 보조해 드렸고 얼마 후 남편 집사님은 카센터에 취업했고, 아내 집사님은 작은 옷 가게를 차렸다. 서울에서 내려온 가정은 남편 친척으로 아이들을 데리고 왔고 면 소재지에 분식 가게를 차렸다. 이렇게 해서 주일날에는 군인아파트에서 1부 예배드리고 바로 밀양으로 내려와 2부 예배드리는 상황이 집을 다 지을 때까지 계속되었다.

전에 광주에서 같이 근무하며 도움 주었던 경리장교 부부가 부산에 내려와서 만난 적이 있는데 만일 전역 후를 대비해서 집을 사게 되고 자금이 부족하면 연락주라며 힘을 실어준 적이 있었기 때문에 나는 땅을 계약한 후 연락을 했다. 집을 사기보다 전원교회 비전을 가지고 땅을 계약했다 말하고 부족한 금액에 대해 도움을 요청했다. 마음이 급해진 그분은 가까운 대구에 있는 은행에 대출을 알선해주어 잔금을 치렀다.

1994년 5월 20일, 남편은 워싱턴 침례신학대학을 졸업했고 나는 1994년 9월에 퇴역하고 군인아파트를 비워야 하기에 집 짓는 일을 서둘러야 했다. 전원주택 사업자도 만나고, 책자도 보며 미리미리 시장 조사를 다녔다. 삼익주택 대표를 주로 만나 상담을 했고 그들이 지은 주택도 여러 채 둘러보았다. 대표님은 항상 이사 친구라는 분과 동행했는데, 어느 날 이사 친구에게 연락이 와 만나니 집을 빨리 지었으면 좋겠다고 권유했다. 나는 지금은 자금이 없고 퇴역해야 하는데 가계수표라도 가능하냐고 물으니 좋다고 해서 계약금을 치르고 공사가 진행되었다.

땅 정지 작업은 전에 집주인이던 주민을 감독으로 세우고 그분이 소개해 주는 사람들 통해 굴삭기 작업과 축대도 쌓는 등 가능하면 동네나 지역 분들이 작업하였다. 처음에는 단층 30평으로 건축 예정이었는데 땅모양이 한쪽이 길고 다른 한쪽은 산과 개울이라 주택 뒤로 가는 통로까지 계산하니 27평 밖에 건축할 수밖에 없었다. 이사 친구는 3평을 더 지을 요량으로 2층 가격을 잘 절충하여 준다고 권유해 지어진 집은 아래층이 27평 이층이 24평 총 51평이었고, 아래층 거실은 예배드리도록 평수를 넓게 하고 벽난로도 설치했다. 설계는 남편이 직접 했는데 부산에서 학교를 다니지만 세 아이들의 방과 안방, 서재, 욕실 2개 부엌이 만들어졌다. 준공 후 마침 같은 지방회에 속하는 침례교 안수집사님이 금융기관에 오래 근무하신 분이어서 농협 관계자에게 담보대출을 알선해 주어 건축비를 해결하고 부족분은 퇴직 후 정리했다. 우리는 이 집을 만남의 집으로 명명하고 하나님을 만나고 그리스도인들이 만나며 부설 나눔교회 통해 예배드리고 향후 누림관을 세워 목회자들과 성도들 수양관으로 다양한 공간과 동역자들이 합류한 센터를 비전으로 하여 하나님의 은혜와 성도님들 도움으로 완공하였다.

이상한 사람들

나의 기도

아버지 뜻 이루소서 세상이 참으로 참람하나이다
제 무거운 짐 내려놓았사오니
주여 당신의 짐 나눠지게 하소서
아버지 사랑과 경배와 송축드립니다
때가 악하고 참으로 많은 일들 일어나
생명들 아침 햇살 스러지는 이슬 같습니다
당신 뜻 이루소서 열방 당신께 돌아오고
만물 회복되게 하시어 다시 오실 때까지
구원의 날 이루소서
당신이 누구인지 알게 하시며
공의와 인자 자비로 드러내소서
당신의 종들 드리는 기도 흘리는 눈물
결코 외면하지 않으시는 분이시여
사랑하고 사랑하며 또 사랑합니다
경배와 송축 받으소서 아버지 신랑 친구시여
당신 말씀 일점일획 변함없으시고
당신 절대 선이시며 아름다우십니다
나의 구원자시여.

'너희가 짐을 서로 지라 그리하여 그리스도의 법을 성취하라'
(갈라디아서 6:2)

근무하랴 또 부산에서 왕래하며 집 짓는 일은 쉬운 일이 아니었다. 자금이 넉넉한 상황도 아니고 업자가 하는 부분도 있지만 지하수 관정이라든지 건축진행도에 맞춰 우리가 해야 하는 부분이 있기에 항상 애가 달았다. 국군원주병원에서 함께 근무하고 전역하신 군의관 출신 장로님이 지하수 헌금을 드렸고 방송국 친구도 퇴직하며 십일조 일부를 헌금했다. 주민들과 마찰을 피하기 위해 이전 땅 주인을 정지작업 감독으로 세우고 얼굴만 비춰도 일당을 계산했다. 감독 재량으로 주민 몇 분이 축대작업도 했고 굴삭기 작업도 했다. 바로바로 감독에게 비용 지급을 했는데 그 비용을 일하시는 분들에게 지급하지 않은 황당한 일이 벌어졌다. 심지어는 건축이 완공되어 입주한 뒤에 축대 쌓았던 주민 한 분이 임금 계산을 요구해 감독에게 다 지급되었다고 하니 깜짝 놀라며 감독을 대동하고 집으로 왔다. 감독했던 주민이 우리에게 대금을 받지 못했다고 거짓말했기 때문이다.

나는 지금도 그렇지만 당시 금전출납부는 물론 모든 것을 기록으로 남겼다. 공사한 장부와 영수증 등 증거물을 내놓았기 망정이지 아니면 황당한 꼴을 당할 뻔 했다. 설마 같은 동네 주민들 돈을 지급하지 않았으리라고 생각지 않은 나는 괘씸한 생각이 들었지만 하나님께서는 기도시간에 그 감독이 축대 쌓을 때 돌을 한두 번 옮긴 것을 기억나게 하시며 용서하라고 하셨다. 건축한 집은 내 집이기도 했지만 교회이기에 하나님께서는 그것도 봉사로 여기시며 작은 일도 기억하시고 관대하셨다.

건축 현장은 마을 어귀를 지나온다. 땅을 산후 동장도 찾아뵈었고 건축이 완공되면 집들이를 하려했는데 주민들이 신고하지 않는다고 성화를 해 미리 돼지도 잡고 떡과 술을 준비하여 정자나무 밑에서 대접을 했다. 집이 어느 정도 뼈대가 올라왔을 때 그동안 병원에 입원해 있던 삼익주택 사장님이 공사 현장을 들러보러 와서 공사 일정보다 앞당겨 대금을 지불하지 말라고 했다. 그때는 무심코 듣고 본인이 하는 공사인데 그게 무슨 말인지 이해가 가지 않아 다음날 사무실을 방문했고 또 한 번 놀라지 않을 수 없었다. 사장이 몸이 아파 입원했기에 자기더러 계약하고 건축을 진행하라고 했던 이사 친구가 회사와 무관하게 그 사이에 자기가 공사를 가로채 건축한 사연이었기 때문이다. 우리는 그것도 모르고 입원한 사장 대신 친구가 참 일을 열심히 한다고 여기며 의리 있는 사람이라고까지 여겼었다. 사장은 이왕 이렇게 되었으니 모른채 하시고 집을 완공하시라고 말했다. 집을 완공하기까지는 얼굴을 계속 보아야 하는데 참 난감한 기분이었고 더욱이 집 지은 경험이 한 번 밖에 없는 사람이었다. 그때부터는 남편이 더 바짝 공사를 신경 쓰고 감독을 할 수 밖에 없었다.

민간인 생활로

정원사

참으로 무가치하고 허무한 곳에서
당신은 존귀와 소망의 꽃 피우십니다
보잘 것 없는 죄악의 구렁텅이에서
당신은 붉은 피 흘리시고 용서의 꽃 피우십니다
미움과 시기 질시의 소굴에서
당신은 화해와 사랑의 꽃 피우십니다
참으로 우리는 쉽게 포기하고 절망하지만
당신은 끈질긴 사랑으로 열정의 꽃 피우십니다
불꽃 다 사윈 잿더미 속에서
당신은 용기의 꽃 피우십니다
마른 뼈 같은 무덤 골짜기에서
당신은 생기의 바람 불어 생명의 꽃 피우십니다
더럽고 냄새나며 추악한 곳에서
당신은 자비와 연민의 꽃 피우십니다
참으로 우리 인생의 쓰레기 더미에서
당신은 향기로운 장미꽃 피우십니다
오직 당신만이 그렇게 하십니다
당신은 위대하고 오묘하신 정원사
이제 우리 앉은 자리 보내심 받은 그곳에서
제각각 향기로운 꽃 피우렵니다.

국군부산통합병원의 마지막 직책은 중앙부 감독장교였다. 병원 각 부서에 기구와 위생재료를 공급해주고 소독해주는 업무로 병실 감독 장교 업무보다는 대인 관계가 적고 혼자 쓰는 사무실이었다. 시간나면 틈틈이 성경도 읽고 기도도 하며 마지막 군 생활을 마무리하기에 더없이 좋은 장소였다. 드디어 1994년 9월 30일, 나는 육군 소령으로 군에서 퇴역을 했다. 정확히 간호사관학교 시절 포함 22년 7개월이며 19세로 시작해 41세가 되었다. 그 기간동안 나보다 한 해라도 일찍 군에 들어온 선배를 그들의 겪어온 경험을 소중히 여겨 존중했고, 후배들은 공정히 대하려고 노력했으며, 단지 한 명뿐일지라도 나의 지도 편달로 인해 그들 인생에 바람직한 변화가 일어나기를 소망했다. 홀로 기도하는 시간에 나의 근무처뿐만 아니라 근무하는 선, 후배들을 마음눈으로 그리며 기도해 왔고 마음에 걸리는 후배와는 개인적 면담을 하면 문제를 가지고 있는 경우가 대부분이어서 같이 해결하며 큰 어려움 없이 보낼 수 있었다. 하지만 이는 나의 일방적인 생각으로 만약 이 글을 읽는 선, 후배가 계시다면 혹시 그 시절 어떤 결례나 섭섭함에 대해 전우애의 아량으로 이해해 주시기 희망한다.

어느 사회나 마찬가지지만 특히 군 사회에서 진급은 아주 중요한 비중을 차지한다. 우스갯소리로 진급 발표 시기에는 무덤 관속에서 조차 벌떡 일어난다고 한다. 퇴역 후 동기생이 간호장교 역사상 두 번째 장군 진급이 되어 축하하기 위한 동기생 모임에 참석했는데, 내가 중령 진급 심사에 들어갔을 때 인사 담당을 했던 동기생이 내 점수가 제일 좋았었노라고 말해주었다. 이제 와서 무슨 의미가 있으랴마는 점수가 좋았음에도 탈락이 된 것은 하나님 사역을 위한 길로 인도하신 뜻으로 여겼음에도 솔직히 그 말이 위로가 될 만큼 진급이라는 단어는 여운이 오래 남는다.

전속이 잦은 군인 장교들이 재직 중에 집을 마련하기는 특별히 부동산에 관심이 있지 않고는 어려운 일이지만 하나님께서는 누구나 한 번쯤 꿈꾸는 전원주택을 전역 선물로 주셨고 이제 드디어 민간인 생활로 들어섰다.

전원교회를 꿈꾸며

푯대

약할 때 강함주시며 나의 힘이 되신 여호와여
내가 주님 사랑하오니 주의 성령 내게서 거두지 마시고
한결 같으신 자비와 은혜 제게 베푸시어
주 보좌 흘러나오는 생수의 강 깊이 잠겨
여호와의 성호 찬양하게 하소서
여호와 아는 지식 점점 자라게 하사
여호와의 신실하심과 사랑의 깊이 넓이 높이에
젖어들게 하소서
아버지 제 마음 소원 아시오니
목마른 사슴 시냇물 찾아 헤매이듯이
제가 주님 앞에 갈망과 애달음으로 섰사오니
주님의 때에 이루소서
맡겨주신 사명 감당하도록
끊임없이 자신 채찍질하게 하시고
오직 푯대 향해 달려가는 확고함 주시옵소서
민망히 여기는 마음 주시어 모든 것 아버지 마음으로
보게 하시고 이미 다 이루었다 하신
주님 유업 모두 누리며 멜기세덱 반차 따라 이어 온
제사장 임무 다 감당하게 하소서
저의 가정과 교회와 모든 속한 영역 바라보시고

지존자의 은밀한 곳 숨기어져 아버지만 의지하는
이 작은 자 연약함을 감당하게 하소서
주 같으신 이 세상 어디 없사오니
당신을 영원토록 찬양 하나이다, 할렐루야.

'하나님이여 내 기도를 들으시며 내 입의 말에 귀를 기울이소서'
(시편 54:2)

경남 밀양시 표충사 가는 길 중간 마을에 자리 잡은 나눔교회는 캐나다산 수입 자재로 지어진 미국 스타일 집이다. 외벽은 그 당시 주택에 처음으로 비닐 사이딩을 도입하여 미국에서 활동하던 전문시공자가 작업을 했다. 돈을 들인 집은 아니었지만 아름답게 지어져 전원주택 잡지에도 소개되었다. 교회는 본 마을 지나 안쪽 산으로 올라가는 계곡 중간쯤 자리하였고 개울 건너편에는 70세 전후 되시는 어르신들이 사는 네 가구와 한 가구는 주말에만 오는 집이 전부였다. 미국에서 공부할 때 전원에 자리한 교회 수양관에 감명 받은 남편은 이곳을 자연 속 전원교회로 만들려고 계획했다.

우리는 전국을 다니며 근무했기에 함께 신앙으로 교제하던 분들이 각처에 흩어져 살았다. 지도를 보니 밀양에서 부산, 대구, 울산, 경남권이 교통 생활권으로 1시간 정도 거리였다. 수요일에는 각 지역에서 리더들을 중심으로 예배드리고, 금요일 오후에는 흩어졌던 교회 구성원들이 모여 철야예배를 드리고, 토요일에는 각 구역들끼리 교제도 나누고, 마침 주위에는 온천과 등산코스와 낚시터도 있어 취미생활도 하고, 텃밭도 가꾸고, 성경공부도 하다가 주일예배 후 각 주거지로 돌아가는 설계였다. 주 5일 근무를 예상하고 조금 시대를 앞선 계획이었다.

우리 부부는 직장을 다니며 평신도 생활을 했기에 주일 예배와 교회 봉사가 때로는 심신피로를 더 누적시키고 부부와 가족들 사이 대화를 소원하게 하는 원인도 되기에 왕복 두 시간 거리가 부부와 가족들의 오붓한 시간으로 활용할 수 있다고 생각했다. 심지어는 교인들을 주일에 움직이자 못하게 하는 것보다는 사람들이 자주 많이 다니는 곳에 교회나 예배 장소가 있어야 한다고 생각하는 편이다. 시간이 지나면 그 마을 전체를 공동체 마을로 활용할 비전도 세웠다. 조경도 하고 집을 꾸미며 네 가정 15명 정도가 함께 예배드렸다. 광주에 계신 목사님 부부도 초청하여 숙식하며 좋은 교제를 나누었다. 다음 해 여름은 수련회 오겠다는 교회들이 있어 수련회 장소로 제공했는데 많은 인원들이 모일 공간을 위해 부랴부랴 교회 식구들과 함께 30평 하우스를 지었다. 여름에는 바로 곁 계곡물이 넉넉하여 물놀이도 충분했고 바닥이 전부 통바위로 되어 빠질 염려가 없었다. 첫 여름 나는 동심으로 돌아가 물이 불은 계곡에서 보트나 큰 타이어를 타고 소리 지르며 급류타기를 했다. 같은 지방회 소속 교회에서 야외예배 드리러 오기도 하고 밀양 소재 개척교회 목사님들도 초청하여 바비큐 파티도 했다. 또 지방회 원로 목사님 부부도 초청하여 오골계도 대접하고 주무시기도 하셨다.

그렇지만 한편으로 하늘에서 내리는 만나와 메추라기가 필요한 시기였다. 학교 다니는 애들 셋을 부산에 떨어뜨리고 왔고 마침 얼마 후 완공되는 군인아파트 내의 군 자녀 기숙사에 입주 예정이었다. 전국에서 처음 시도되는 기숙사는 5층 건물로 헬스실 포함해 제반 시설이 완비되었을 뿐만 아니라 남녀 사감도 계시는 곳이었다. 무엇보다 우리 살던 병원동 바로 곁이라 애들에게도 안정감을 주는 마치 우리 위해 건물을 짓고 있는 듯했다. 내가 타는 연금 외는 수입이 없는 시기로 주말에 오는 애들에게 바닥까지 긁어주어도 헉헉 대기는 마찬가지였다. 하지만 하나님께서 예비해 놓으신 것이 있었다.

3막 열매

남편은 개 박사

하나님의 손

주의 손가락으로 지으신 하늘 베풀어 두신 달과 별
주 영광 선포하고 하신 일 보여주신 궁창
주의 손으로 정하신 땅의 기초와 펴신 하늘
지으신 땅 깊은 곳 산들의 높은 곳과 넓은 바다
모든 생물 생명과 육신의 목숨 다 주의 손에 있음이여
주는 토기장이 빚으신 질그릇인 우리는
주의 손 아름다운 왕관
주님 손바닥 우리 새기시고 그 그늘에 숨기시며
우리 입 손대시고 주시는 당신 말씀
의인과 지혜자의 행위 다 주의 손에 있으며
곤고한 자에게 손 펴시고 주의 손에서 나오는 일용할 양식
크신 권능과 강한 손으로 구속하여 돌보시며 인도하신
손들어 맹세하신 약속의 땅에서
당신 손으로 진실과 정의 행하시고 법도 베푸시며
보좌 하늘에 세우시고 만유를 다스리시는 왕권
그 선하심과 권능과 위엄 기사와 이적으로
강한 손 펴시어 보호 인도하시고 이루심
날마다 묵상하며 송축함은 주의 손으로 받은 것
주께 드림이며 저의 모든 것 당신 손에 있음에
주의 능하신 손아래 겸손함으로 사는 하루하루

결혼 전 나는 개와 거의 연관이 없다. 굳이 기억을 더듬어 보면 친정어머님이 일찍 뇌졸중으로 쓰러지신 친정아버님 기력 회복을 위해 장날 시장에서 사온 고기로 보신탕을 끓여드렸던 어렴풋한 기억과 군병원에 근무할 때 회식 자리에 나온 탕을 한두 번 먹었던 일이 생각난다. 결혼 초 주말부부인 내가 집에 오니 어린 송아지 만한 개가 집에 와있었다. '철룡'이라는 이름의 도사견인데 남편은 도사견 협회 기획부장으로 대회를 위해 전국투어도 했다. 큰 대회는 일본 야쿠자 출신들이 한일전을 위해 참석했다. 나는 딱 한 번 참석해 관람했는데 마치 권투 시합장 같은 열띤 분위기였고 때로는 살벌해 보였다. 당시는 투견대회라 하지만 상금을 거는 경기는 아니었고 흑백텔레비전이 우승상품으로 주어졌다.

때로 모임에서 부부동반 야유회를 간다든지 하면 남편은 철룡이를 잘 맡기기 위해 일행보다 뒤처져 나 먼저 출발하기도 했다. 나는 실리적인 사람으로 그 큰 철룡이가 먹는 사료가 아깝다고 생각했으나, 남편은 애정을 가지고 고기, 소간 등을 아낌없이 먹였다. 닭 한 마리씩 먹이는 것은 예사고 이것이 계기가 되어 양계장도 운영했다. 그 세계는 견주 이름을 성씨에 개 이름을 합해 부른다. 예를 들면, 남편 성씨가 양이기 때문에 '양철룡'이 되는 것이다. 인격 아닌 견격으로 대접받는데 좋은 개를 동반한 견주 앞에서는 모두 꼬리를 내린다는 세계다. 하여튼 우리 철룡이는 전국 챔피언을 세 번 했고, 그것도 마지막은 부산구덕체육관에서 도사견협회와 경비견협회가 합해진 통합 챔피언이 되었다. 남편은 전국 개연감에도 기록된 그 세계에서는 원로가 되었다. 그 이후로 우리 집은 항상 개와 함께 생활하며 지금도 자녀들과 다함께 모이면 집에 강아지들이 6마리나 되는 애견가족이다.

밀양으로 오면서 부산에서 친교를 나누던 부산상견협회 회장이 시베리안 허스키와 골든 리트리버 한 마리씩을 선물로 주었다. 우리가 전도도 했고 우리 교회 이름 따서 '나눔 개발'이라는 사업도 한다며 명함도 새겼던 그분은 우리 집에 와서 하루 주무시고 가셨다. 그 이틀 후 자택에서 심근경색으로 쓰러져 응급수술을 했음에도 병원 중환자실에 무의식 상태로 며칠 계시다가 40대 젊은 나이로 돌아가셨다. 부산군인아파트 들어오는 큰길에 가게가 있어 우리와 가깝게 지내시던 그분 때문에 참 많이 울었다. 한참동안 부산에 가면 온 도시가 텅 빈듯했다. 그분이 선물한 두 마리의 개는 번식을 하여 강아지를 많이 낳아주었고 그 시절에는 희귀 품종인지라 애견 가게에서도 분양을 해가서 그 수입원이 우리 생활의 부족한 부분을 보충해주었다.

사연리 새댁

들꽃

나의 아버지 신랑 친구시여
알파와 오메가 전능하신 분
멋지고 귀하시며 아름답고 선하신 분
세세토록 영광 받으소서
저는 당신 앞 어린 소자
당신 자비와 긍휼, 인애와 사랑으로 덮여
제 삶의 위기 당신 섭리요 축복임을
믿음으로 받아 모든 것 아멘입니다
당신 사랑하고 의지하며 모든 것 맡기오니
세세히 인도하소서
당신 없인 아무것도 아닌 존재
당신 눈길 손길 아래 피어나는 들꽃 되어
평안과 확신에 거합니다
당신의 공의 긍휼로 이루소서
당신 앞, 산 제물로 나왔사오니
하늘에서 이루어지신 그 뜻
이 땅에 이루소서
나의 아버지 신랑 친구시여.

'공의와 정의가 주의 보좌의 기초라 인자함과
진실함이 주 앞에 있나이다' (시편 89:14)

퇴역은 1994년 9월이었지만 집 완공이 늦어져 실제 이사는 11월에 했고 첫 예배를 11월 13일 드렸다. 땅 산후부터 우리는 동네를 드나들었기 때문에 그곳에 사시는 할아버지와 할머니들을 사귀었다. 부부가 해로하시는 두 가정과 나머지 두 가정은 할머니만 계셨다. 나는 도시에 사는 자제분들이 함께 사실 것을 권유드렸는데, 집을 손보아야 할 경우에도 자녀들이 수리해 주지 않았어도 그분들은 이곳이 좋다고 고집하며 어쩌다 한 번씩 도시에 나가 자녀들 집에 묵고 오신 후 이곳에 돌아와 숨을 쉬니 심장이 벌렁벌렁하다고 말씀하신게 기억난다.

마을 분들은 땅에 대한 욕심들이 있으셔서 우리가 농사짓지 않는 땅을 서로 빌려 경작하려 하셨고 그 할머님들은 나를 새댁이라고 불렀다. 집을 지을 때 우리는 바위 옆 그늘에 원두막을 지어놓고 건축 현장을 바라보며 쉬곤 했는데 특별히 할 일이 없으신 때 할머님들은 원두막에 오셔서 집 짓는 것을 구경하시곤 했다. 간혹 자장면을 시킬 때 할머님들을 대접했는데 자장면을 처음 잡수신다는 분도 계셨다. 돈이 없다기보다 익숙하지 않은 음식을 드시지 않기 때문이다. 우리 집에 손님들이 쉴 새 없이 드나드는 것을 보신 할머님들은 상추도 따주시고 오며 가며 뭔가를 주셨다. 심지어 바위 밑에 구덩이를 파고 호박을 심어 놓으셔서 바위를 감상하려는 우리 의도와는 달리 호박 넝쿨이 타고 올라가 바위가 호박잎으로 뒤덮였다.

항상 차를 타고 드나드는 우리가 어디를 그리 다니는지 궁금해 하셨고 밥도 제대로 안 해 먹게 보이는 내가 저 손님들을 다 무엇으로 대접하는지 염려스러운지 가끔 다 어떻게 해서 먹이느냐 물어보셨다. 시내에 나갈 때면 모시고 나가곤 했고 글을 모르시기 때문에 고지서를 읽어드리는 것도 우리 일이었다. 전기가 나간다든지 무언가 고장 나면 연락을 해오셨고 손재주 좋은 남편이 손을 봐드렸다. 나는 가끔 혈압도 재드렸고 교회에 침놓는 분이 봉사 오시면 마을 분들 불러 침을 놔드릴 때 우리 할머님들이 1순위였다. 그곳을 떠나온 뒤로도 여러 번 방문했고 할머님들을 시내에 있는 중국집에서 요리도 대접해 드렸다. 우리가 어찌 사는지 궁금해 하실까봐 우리가 사는 곳도 둘러보게 해드렸는데 신기하게 글은 모르시지만 전화번호는 갖고 계셔서 잊어버릴만 하면 한 번씩 할머님들이 전화를 해주셨다.

같은 마을에 살 때는 할머님들을 기도 명단에 놓고 기도해 오다가 이사 후 방문했을 때 기도를 해드렸더니 그중 한 할머님이 전에 금식도 자주 하고 그러더니 새댁이 이제 도가 텄다고 해서 웃은 적이 있다. 예배에 한 번씩 참석하시라 해도 글을 모른다고 거절하셨던 분들이지만 기도로 다 예수님을 영접하게 해드려 마음이 후련하다. 우리는 7년 동안 살았던 집을 수녀님들이 거주하시는 피정의 집 하신다는 부산에서 오신 신부님에게 팔았다. 그 후에 한 번 들르니 부산에서 가끔 오간다는 분이 이사를 와계셨고 전에 밭이었던 곳에도 집이 두 채 지어져 있었다. 그래도 우리가 제일 정이 많이 들었다고 칠순, 팔순 넘으신 분들이 한동안 전화를 가끔 하셨다. "목사님 잘 계시능교?" 하시면서 말이다.

만남의 집

만남의 집

기쁨과 찬송과 영광을 오 할렐루야
믿음과 진리와 사랑을 오 할렐루야
주님 떡을 떼는 곳
영혼의 호흡 있는 곳
지성소의 만남 있는 곳
평안과 성령님 충만하신 곳
오 할렐루야 거듭나는 곳
진실로 낮아지는 곳
주 안에 능하지 못함 없어라
거룩하여라 여호와의 성호여
영광과 지혜 넘쳐흐르는 곳
생명수 강 흐름과 풍성한 양식 있음이여
주님 함께하신 곳이여.

사연리는 나눔교회와 만남의 집 사역이 겹쳐져 믿음의 사람들과 믿지
않는 이들도 많이 방문했다. 골짜기 따라 올라가는 산 정상 막다른 장
소 암자에는 여승 한 분이 계셨는데 남편과 나는 가끔 올라가 차를 나누
며 담소하였고 그분도 지나는 길에 들려 먹을 것도 가끔 나누곤 했다.
그분이 자기는 아무 곳이나 차를 마시지 않는데 우리 있는 곳은 거부감
이 없다고 했다. 서울에서 내려온 한 형제는 군 전역 후 한동안 복학 준

비와 취업 준비를 하더니 시사영어사에 취업 후 배우자도 만나고 신학을 하던 중 캐나다로 이민을 가서 로펌에 근무하며 1남 2녀를 낳았다. 또 다른 형제는 결혼 후 살림을 가지고 내려왔는데 아래층을 내어주고 함께 생활하려 했지만 새댁이 아이들도 있는데 마당에 개도 있고 개털도 날린다 하여 분가했는데 나중에는 한동안 시내에서 애견센터를 하다가 다시 이사를 갔다.

남편 고등학교 동창 중에 당뇨합병증이 심하여 안식일 교단에서 운영하는 자연식 요양시설에 계시던 권사님이 계셨는데 병문안 갔을 때 우리 있는 곳보다 환경이 더 좋은 것도 아니어서 모시고 왔다. 뜰에 있는 호박이나 야채를 보면서 너무 좋아하시고 스스로 반찬도 만들고 행복해하셨는데 결핵이 있었던지 어느 날 객혈을 하셨다. 자택에 있을 때도 병원 가시는 것을 거부하셨다고 가족이 말해줬는데 설득하여 준종합병원 특실에 입원 후 객혈로 기도가 막혀 갑자기 돌아가셨다. 너무 가슴이 아팠지만 생전에 너무 힘들어하셨기에 고통 없는 곳으로 가신 것도 하나님 뜻이려니 하고 가족들과 함께 서로 위로를 했다.

한 번은 아는 분 소개로 한 자매가 방문을 해서 숙식을 했는데 레즈비언인 다른 짝에 대한 고민을 털어놓기에 상담 후 돌려보냈다. 독일에서 사는 친구가 한국에 잠깐 나오면서 여중, 고 시절 기숙사 친구들과 20년 세월 지나 함께 만나 일박하며 회포를 풀었다. 후일에 남편은 부산, 경남 장애인승마협회 회장을 역임했는데 우리 부부는 독일을 방문하여 말도 타고 훈련도 시키는 친구 도움으로 재활승마와 관련된 여러 장소와 사람들을 만나고 견학하는 보람된 일정을 보내고 돌아왔다. 최근 한국에 있는 작가분이 친구를 방문하여 독일에 이민 가있는 교포들에 대한 사연을 책으로 엮은 적이 있는데 출판기념일에 친구도 다시 한국에 나와 이 기회에 기숙사친구들이 함께 일박했는데 이는 30년 세월이 흐른 뒤이다. 또 미국에서 남편 동창이 잠시 나왔는데 남편이 목회자의 길을 가리라 전혀 예상치 못했다며 친구들과 함께 내려와 즐거운 시간을 보냈다. 만남의 집은 지금까지 사귀었던 많은 분들과 교제가 이루어진 곳이다. 이렇게 만남의 집은 많은 분들이 저마다의 사연을 가지고 방문하여 우리를 만나고 하나님을 만났던 곳이다.

사막에 샘이 솟아나리라

기다림

소망 있는 사람에게만 주어진 특권 기다림
기다림 없는 사람에게 주어진 시간은 소모될 뿐
크로노스 시간에서 카이로스 때 기다리는 삶
단조로운 것 같으나 준비하는 일상
오직 그때 위해 갈고 닦으며 기다리는 사람은
비전을 가진 정체성 확고하며
존재 이유 명확하게 알고 있는 사람
기다리는 사람 눈 땅에 있지 않고 하늘 우러러
마치 독수리 하늘 유유히 비행하다가
예리한 눈으로 먹이 적시에 낚아채듯이
카이로스 때 재빠르게 포착하니
기다리는 사람 세포 하나하나까지 깨어있는 사람
기다리는 사람에겐 천명 감지되며 주어진 달란트로
때를 얻든지 못 얻든지 개의치 않고
묵묵히 갈 길 향해 발걸음 내딛음은
침묵의 고치 속에서 기다리는
부활의 아름다운 나비 비행 있기에.

집을 지을 때 처음 계획은 아이들도 다 데리고 오는 것이었으나 이미 고학년이 되었고 애들도 부산에 남기 원했기 때문에 밀양으로 이사 오기 전 부랴부랴 살던 근처에 방을 하나 얻어주었다. 군 자녀 기숙사가 완공되려면 기간이 어느 정도 남았기에 가스통도 애들 집으로 떼어주고 쌀통도 옮겨주고 일단 이사를 했다. 건축비도 마지막 지불해야 했기에 이사 와서 첫 2주 간은 집에 돈이 바닥난 상태였다. 신기하게도 우리 집에 제일 먼저 방문한 사람은 쌀을 들고 왔고 다음 사람은 가스통을 가지고 왔다. 후배 하나는 자녀 돌 반지 한 개를 헌물로 주었는데 그것을 팔아 조그만 손수레를 사서 마당에 있는 건축 자재 부스러기와 돌들을 치웠다. 돈이 없는 상태로 지난다는 것은 수없이 공급해 주시는 하나님 은혜를 입었음에도 불구하고 가슴을 조여 왔다.

"하나님 어떡해요?"라며 마음속으로 부르짖으며 기도했을 때 하나님께서 세미한 음성으로 "사막에 샘이 솟아나리라"고 대답해 주셨다. 그 말씀처럼 정말 사막길 가다가 드문드문 샘물 발견하는 것처럼 물질이 채워지는 경험을 무수히 했다. 그 당시 남편과 나는 시내 제과점에서 500원 하는 빵 하나씩 사들고 행복해 했다. 그중에도 많은 이들이 집에 방문했는데 우리가 대접해야함에도 불구하고 대접받는 경우가 있어 마음이 정말 민망했지만 그렇다고 그분들에게 일일이 사정을 얘기할 수 없었다. 지금도 그렇지만 남편과 나는 항상 손님들을 대접하려고 애쓰는 편이다. 내 마음 속에는 아브라함이 손님을 대접하다가 부지중에 천사를 대접한 것처럼 그중에는 하나님께서 보내신 사람들이 있다고 믿기 때문이다.

시장도 멀고 가게도 떨어진 이곳에 와서 나는 손님 대접에 대해 마음을 내려놓았다. 언제 누가 오든지 집에 있는 것으로 뚝딱 만들어 상을 차리면 음식 솜씨가 없는 편임에도 다들 맛있게 먹어주었다. 눈을 열고 보니 집 주위에 있는 것들이 모두 다 식재료가 되었다. 퇴직한 후로는 더더욱 일용할 양식 주시는 하나님을 의지해야 했으며 더 많은 체험을 하게 되었다. 주말에 애들이 다니러 오면 조금이라도 돈을 들려 보내야 하는데 하고 마음에 고민이 되었는데, 눈도 뜨지 않은 갓 태어난 강아지를 보러 온 애견센터 하는 분들이 계약금이라며 돈을 놓고 가는 일도 있어 한숨 돌린 적도 있다. 때로는 하나님보다 개들을 더 의지할 때가 있어 마음에 한심한 생각이 들기도 하고 죄송스러웠다. "하나님 샘물은 너무 갈증이 나요"라고 투정을 부리기도 했지만 나는 이 과정을 믿음으로 견디어야 했고 인내라는 열매를 맺어야만 했다.

실락원의 낮과 밤

빛과 소금

천지의 주재자이시며 생사화복 주장하시고
복 주시기 기뻐하시는 하나님
처한 형편 자족하게 하시고
더 나아가 아버지 지상명령 받들어
하나님 나라 복음 가르치고 전파하게 하소서
매 시절 좇아 열매 맺게 하시고
천지 변화와 인간사 역사 통해 이루시는
하나님 경륜 범사에 깨달아 알게 하소서
하나님 모든 것 진동시키실 때
굳건한 토대 이신 예수 그리스도 안에 두시어
평안과 믿음으로 요동치 않게 하소서
진리인 하나님 말씀 날마다 상고하며
하나님 계명과 율례 기쁘게 순종하게 하소서
일상에서 아버지 뜻 발견하게 하시며
항상 동행하시는 하나님 보호와 인도하심 깨닫고
제 안에 평강과 희락 샘솟듯 흘러나오게 하소서
무슨 일 행하든지 하나님보다 앞서지 않게 하시고
인도하시는 불과 구름기둥 분별하게 하시며
어리석고 우둔하지 않아 지혜롭게
하나님 조율하시는 삶 살게 하소서

제 간구에 귀 기울이시고 손 깨끗한 자 되어
하나님 보좌 날마다 오르게 하시며
하늘 지혜와 계시 밝히 조명하시는 역사
동참하게 하소서
믿음은 바라는 것들의 실상이요
보지 못하는 것들의 증거라고 하셨으니
하나님 언약의 말씀들 제 삶 통해 증거하소서
하나님 나라 말에 있지 않고 오직 능력에 있음
제 삶에 실현되게 하소서
의인의 길은 돋는 햇볕 같아서 점점 빛나
원만한 광명에 이른다 하였사오니
제가 날마다 빛에 거하며 어두움에 걸려
거치는 자 되지 않게 하소서
제 싸움은 혈과 육에 속한 것 아니요
악한 영과 권세와 정사를 대적하는
영적 전쟁임을 분별하게 하사 날마다 전신 갑주 입고
하나님 말씀인 성령의 검으로 승리하게 하소서
하나님과 제 사이에 존재하는 모든 것들
모두 성령의 불로 소멸하사
정금 같은 믿음으로 나아가게 하소서
주님 오실 때 가까움 깨달아 깨어있게 하시고
등불에 기름 가득 채우게 하소서
날마다 지혜와 명철 채우시어
머리 되고 꼬리 되지 않게 하시며
어두운 곳 밝히는 등불 되게 하시고
부패 방지하는 세상의 소금 되게 하소서

열매

학자의 영 주시어 영감에 능력 더하시어
증거하는 말씀 살아 역사하게 하소서
주신 시간 소중함 깨달아 세월을 아끼도록 하소서
저의 어떠함 깨달아 날마다 산 제사로
자비와 은혜 긍휼의 자리로 나오게 하소서
오직 홀로 영광 받으소서
예수 그리스도 이름으로 기도드립니다.

'사랑하는 자여 네 영혼이 잘됨같이 네가 범사에
잘되고 강건하기를 내가 간구하노라' (요한삼서 1:2)

1995년 큰딸이 부산외국어대학교에 들어갔다. 고등학교 과정까지는 군에 근무하기 때문에 학비 보조로 어려움이 없었지만 퇴역 후인지라 대학은 지원해 줄 돈의 단위가 다르고 더욱이 두 집 살림에 빠듯했다. 나는 어떻게 해서라도 아이들 대학은 마쳐야한다고 생각했기에 등록금 낼 때가 다가오면 피가 마를 지경이었다. 이렇게 한 해가 지났을 때 갑자기 국군부산통합병원 간호부장님으로 부임하신 전에 소꼬리 해주시던 선배님이 전화 연락을 주셨다. 얼마 전에 부산 소재 보건행정대학원 모임에서 만나신 우리와 같은 지방회 목사님과 집에 다녀가신 적이 있어 이미 반가운 해후는 한 후이다.

언양에 실락원이라는 지체장애 시설이 있는데 그곳에서 재활병원을 세우고 간호과장이 필요해 적당한 분을 추천해달라는 연락이 와서 내가 그곳에 가면 좋겠다며 연락할 전화번호를 주셨다. 군 생활 마무리할 즈음 나는 하나님께 이런 기도를 드렸다. "이제 먹고사는 일은 그만두고 온전히 주님 일만 하면 좋겠어요"라고 말이다. 하지만 자녀들을 교육시켜야 할 책임이 있고 내년이면 아들이 또 대학에 들어가니 어떤 기회가 왔을 때 활동을 해야만 했다. 나는 그곳 시설장님과 통화하며 운전을 하지 않는 나로서는 출퇴근도 문제가 되어 남편 목사님을 원목으로 하는 조건이면 고려해 보겠노라고 대답했다. 그분은 사택도 준비해드릴 수 있기 때문에 이사를 해서 목회활동도 같이 하실 것을 제안했지만 그럴수는 없었으나 일단 방문하기로 약속했다.

밀양에서 영남의 알프스라는 가지산을 넘어 언양에서도 한참 들어가는 그곳은 집에서 거의 한 시간 반 거리였다. 마치 공장처럼 보이는 큰 건물들이 있었고 설명에 의하면 영국 다이애나 왕세자비도 방문했던 곳이라 했다. 두 시설이 합해져 거의 600명 가량이 입소해 있었다. 병원 시설도 거의 완공을 앞두었고 나이 드신 병원장님과 재활의학 전공 보건의, 간호사 2명, 간호조무사 1명, 원무과 직원 1명이 있었으며 노인요양병원으로도 활용할 계획이었다. 시설을 둘러본 후 대화가 진행되어 우리는 교회가 있기 때문에 이사 올 수는 없고 남편은 원목으로 나는 재활병원 간호과장으로 6월부터 근무하기로 결정했다.

약속한 날짜가 되어 출근한 우리는 그곳 분위기가 심상치 않음을 감지했다. 경영진 내부가 분열로 곪아터지기 일보 직전이었다. 직원들은 둘로 갈라져 서로 비난하는 바람에 그곳에서 일어난 비리들이 설왕설래 돌아다니고 있었다. 그러나 내가 느낀 충격은 다른데 있었다. 지금까지 병원 근무를 해왔지만 주로 한창 때의 군인들만 대해온 나로서는 그곳에 입소한 심한 장애를 가진 아이들을 대하면서 간호사인 나도 어떻게 어디부터 먼저 만져야 하는지 당황스러운 경우가 너무 많았기 때문이다. 병원 팀들이 하루에 한 번씩 회진하며 둘러보았고 안에서 해결이 안 되는 경우는 밖의 병원으로 외진을 갔다. 정신과적 문제가 중복된 원생들도 많아 일주일에 한 번은 촉탁의로 지정된 정신과 전문의가 진료를 했다.

예배는 수많은 방들이 있기에 차례차례 돌아다니며 나이가 있는 청년층부터 드리기 시작했다. 그중 뇌성마비 원생들은 몸은 부자유스러워도 다른 문제는 없었기에 예배를 정상적으로 드릴 수 있었다. 어린 원생들 방에 들어가면 정이 그리운지라 온 몸을 던져 안겨올 뿐만 아니라 한 번 안기면 떨어지지 않으려 했다. 그렇게 두 달 쯤 지났을까 여러 얘기가 들리는 중에 이사장의 원생 성폭행 문제가 들려왔다. 우리가 오기 전에 일어난 일이지만 다른 자금 유용 문제나 과도하게 작업 시키는 문제는 이해할 수 있어도 성폭행 문제는 목회자 부부로서 간과할 수 없는 사항이었다. 그래도 소문으론 어찌할 수 없는 사항이기에 사태 추이를 지켜보고 있는데 시설장이 피해를 입은 두 여자 원생을 우리 집에 맡겨왔다. 이 사실을 알게 된 이사장은 직원들을 무더기로 해고했고 남편과 나도 해고 통보를 받았다.

우리는 두 여자 원생의 증언을 녹취한 근거로 울산경찰서에 신고했고 그들을 데리고 가 검찰에 가서 고발 조치를 취했다. 직원들을 데리고 가서 노동청에도 신고했고 노무사와도 만나 여러 가지를 의논했다. 보건복지부 담당이던 김홍신 의원에게도 연락이 되어 면담을 했으며 국감장에도 이 사건이 제기되었다. 찾아온 기자들을 통해 이곳에 근무하면서 겪은 일들을 신문에 기고했는데 산문 한 면을 통째로 차지한 내용의 제목이 바로 '실락원의 낮과 밤'이다.

결국, 몇 번의 재판 끝에 시설 책임자들은 법정 구속되어 복역을 했으며 직원들은 복직되었다. 1년 가까이 걸린 이 사건이 종결되기까지 그 우여곡절은 다 뭐라 말할 수 없었고 우리 부부는 복직 확인 후 명예롭게 그곳에 사표를 냈다. 많은 일들을 겪고 본 우리는 사회복지시설은 적어도 하나님을 두려워하는 선한 양심을 가진 사람들이 운영해야함을 확신하게 된 귀중한 경험이었다.

립스틱 짙게 바르고

아름다운 사랑이여

수치와 비난의 장소 미움과 질시의 장소
외로운 절망의 장소 슬픔과 괴롬의 장소
질병과 고난의 장소 폭력과 무법의 장소
기쁨과 쾌락의 장소 사랑과 희락의 장소
화평과 겸손의 장소 평강과 안식의 장소
항상 함께하신 내 안의 주님
함께하신 사랑이여
참으로 아름다우신 그 사랑이여.

실락원에는 가족이 없는 원생들이 70%, 가족이 있는 재가 원생들이 30% 비율로 입소해 있었다. 지적, 신체적으로 부자연스러운 경우가 대부분으로 이곳에서 이사장의 위치는 자신의 판단과 명령 따라 모두 움직여야 하는 마치 자신만의 왕국을 세운 제왕과도 같았다. 하나님을 경외하지 않는 사람의 권위는 얼마나 우스꽝스러운지. 하지만 사람들은 좁은 안목으로 자신의 위치를 제대로 알지 못한다. 이곳에 입소했다가 다른 정신병원으로 보내진 원생이 그곳에서 불의의 사고로 사망한 사건도 있었다. 정상인과 다르다는 이유로 사회에서 격리된 경우 발생하는 문제점들은 수없이 많다. 함께 생활하며 돌보며 동반하는 사회로 가기까지 아직도 우리는 갈 길이 멀다. 짧은 3개월 동안 나는 많은 것을 보고 느꼈다. 파출소부터 국감장까지, 노동청과 재판정에도 가고 유치장에 면회도 갔다. 이해관계로 뒤얽힌 직원들, 민원처리를 하는 자들의 무관심. 한 번은 거실에서 라면을 끓여 먹다 알 수 없는 울분에 대성통곡이 나왔다.

1996년 11월 10일, 남편이 드디어 기독교한국침례회 부산지방회에서 목사 안수를 받았다. 며칠 지난 후 실락원에 촉탁의로 오시던 정신과 과장님이 전화 연락을 해왔다. 양산에 정신과 병원을 세우신 그분은 초창기라 아직 직원들이 충원되지 않아 애를 쓰고 계셨고, 수간호사들을 교육받으러 보낸 동안 조무사들과 보호사들을 관리할 간호 파트 책임자가 필요하셨던 것이다. 공백기 이삼 개월 정도만 간호과장으로 근무하기로 하고 출근을 했다. 군병원에는 따로 주특기 훈련을 받은 정신과 간호장교가 근무를 한다. 나는 간호생도일 때 실습할 때를 제외하고는 병실 감독으로 정신과 병실에 드나든 적이 전부인지라 실제 그 안에 들어가 근무하려니 약간의 긴장감이 느껴졌다.

정신과에 입원할 때는 대부분 소지품을 제한해서 병원에서 규정한 것 외는 사용할 수 없다. 남녀 병실이 구분되어 있지만 투약 시간이나 식사 시간에는 다 함께 모이는데 어느 틈에 숨겨두었는지 여자 환자 중에는 맨 얼굴에 립스틱만 빨갛게 바르고 나오는 경우가 있어 우스꽝스럽게 보였지만 여성의 본능은 어쩔 수 없는 것 같았다. 한편, 알코올 중독환자들 경우는 술을 먹지 못하고 병원에 있는 기간을 굉장히 무료해 했고 더욱이 다른 진단을 받은 환자들과 함께 생활하는 것을 힘들어했다. 그들을 위해 바둑이나 장기 두는 것을 허용했는데 한 번은 자살한다며 한 환자가 바둑알 스무 개 정도를 꿀꺽 삼켜버려 소동이 났다. X-RAY 도 찍고 사태 추이를 살펴 보았는데 결국 대변으로 다 나와 다행이었다. 치매로 입원한 환자들은 항상 병원 밖으로 나가려고 기회를 엿보아 아무리 문을 잠그고 관리해도 어느 틈에 빠져 나가 찾아나서는 경우도 있었다. 또 서로 싸우고 때리며 순식간에 귀를 물어버려 응급으로 꿰매야 했고 폭력적 경향을 보이는 환자들은 그 안에서도 따로 격리해야 했다. 정신과 병원의 경우 이중으로 문에 잠금장치를 하고 예상할 수 있는 모든 위험에 대비해야 하기 때문에 개인의 활동이 제한되고 단체 활동을 할 수 밖에 없다. 따라서 관리자들의 인간 존중에 대한 깊은 이해와 사고 예방을 위한 관리의 상충되는 간극을 해소하는 것이 관건이다. 나는 하나님께서 나를 어떻게 사용하시려고 젊은 군인들이 있는 곳에서만 근무했던 나를 재활시설로 정신과 병원으로 인도하셔서 이처럼 많은 것들을 보고 듣고 경험하게 하시는지 깊이 자문해야만 했다.

하나님 제 입에 곰팡이 슬겠어요

멘토의 한마디

어느 날 멘토의 한마디
하나님 위해 무엇을 증명하려거나
하나님 위한 모델 되기보다는
그분과 친밀하게 어리광 부리기 기뻐하라고
그 말 마음에 담고 곰곰이 묵상해 보니
내 사랑하는 자녀들 열심히 바르게 살고
많이 이루려고 노력하면서 살아온 성과
내 앞에 와 이야기하는 것도 참 기쁘지만
나와 함께 웃으며 내게 어리광 부리고
행복해하는 천진난만한 모습 보는 것이
내 맘 더욱 흡족하고 흐뭇할 것이라는 것을
"얘야 너를 증명하기 위해 애쓰지 마라
네게 무엇을 꼭 해야만 내 마음 기쁘게 하는 것
아니다. 단지 나는 너와 함께 이야기하고 싶을 뿐
이야. 그래서 천국은 어린아이 같은 자들의 나라란다."
당신 위해 더 일하지 못함에 죄스러운 마음 이제
내려놓고 당신 영광 위한다는 모든 것 내 영광
위한 것이었을 수도
영광은 나로부터 시작되는 것 아니라
당신께서 임하시는 것이었음에

이제 당신께서 주시는 평안의 안식 아래
마음껏 뛰놀고 재롱부리며 사는
저는 당신 앞 작은 귀염둥이.

개울 건너 집과 나란한 500평 밭에 교회 식구들이 다양한 채소를 심어 놓았다. 하루만 지나도 쑥쑥 자라 집에 식구가 많은 것도 아닌지라 조금만 지나도 시들어질 수 있었다. 마음이 바빠진 나는 실낙원에 다닐 때는 출근 전 더욱 일찍 일어나 채소를 뽑아 부대에 담고 장거리 출근에 더욱 부지런 떨어 식당에 가져다주었다. 집에는 감나무도 많아 방문객들은 감 따는 장대 나무를 이리저리 겨냥하며 흥겨워했다. 가을에 혼자 들기 버거운 호박은 얼마나 많이 열리는지 한 번은 수확한 농산물을 여러 부대에 나누어 담아 여러 도시에 흩어져 사는 지인들에게 두루 나눠주는 여행을 하기도 했다. 마을에 사시는 할머님들은 얼마나 부지런하신지 나는 젊은 사람이 밭에 난 풀도 뽑지 않는다 하실까봐 눈치가 보여 틈틈이 풀을 뽑아야 했는데 정말 장난이 아니었다. 다음 해에는 교회 식구가 콩을 심었는데 콩밭 김매고 거두어서 타작까지 하는 일은 곁에 사는 내일이기에 농사에 취미가 없는 나는 힘도 들고 밭을 바라보면 한숨이 절로 나왔다. 나는 의미 없다고 생각하는 일은 힘겨워한다. 책임감이 강해 시작한 일은 마무리는 하지만 마음이 즐겁지 않다.

다음에 근무하던 정신과 병원 퇴근 후 밭에 나가 풀을 뽑으며 나는 하나님께 하소연 했다. "하나님 입에 곰팡이 슬겠어요!" 예배 시간 외는 집에 혼자 있는 시간이 많았고 밭에 나가는 일은 거의 내 차지인지라 호미질하다가 '내가 지금 뭐하고 있지?' 하는 생각이 들었다. 사실 군을 퇴역

할 때는 세운 비전도 많고 매우 바쁘리라 생각했다. 군에서는 점심 식사 후 틈틈이 성경공부도 주재하고, 또 교회 일도 많이 맡아 했으며, 지금처럼 학교 급식제도가 있는 것도 아니어서 세 아이들 도시락 준비하고 몸이 불편하신 시부모님 수발하며 살림을 병행했다. 휴가 때도 가족들과 오붓한 시간을 계획했음에도 하나님께서 이상하게 환경을 조성하셔서 사람들을 만나고 기도회도 갖게 하셨다. 어느 여름휴가에는 남편과 나는 이번에는 아무에게도 연락하거나 만나지 말자며 휴가를 떠났음에도 계획이 어그러져 많은 사람들을 만나서 기도 모임이 되어버렸다. 내가 느끼지 못했지만 일 중심적 성향이 있어 주님 일을 열심히 하지 못한다는 불편한 마음이 중심에 자리하고 있었다. 무엇보다 세운 비전이 진행되지 않는 것에 좌절감을 가졌다. 콩밭에서 묵상을 계속 하고 있을 때 하나님께서 내 마음에 대답해주셨다. "내가 보기에는 일을 많이 하는 사람과 그렇지 않은 사람과의 차이는 백지 한 장 차이다. 하지만 나는 네가 나와 더 친밀해지기 원 한다."라고 말이다.

그 당시에는 그 말 제대로 다 이해하지 못했지만 하나님께서는 내가 주님의 일을 더하기 보다는 주님에 관해 더 알기 원하고 마음을 드리는 것을 원하셨던 것이다.

이렇게 몇 개월이 지나고 전에 돌 반지도 헌물하고 남편 목사님 안수식에 꽃꽂이도 해주었던 부산에 사는 군 후배에게서 전화 연락이 왔다. 당시 후배는 부산에 있는 간호조무사 학원에 근무 중이었는데 밀양에 있는 영남간호학원에서 그곳으로 강사 지원 요청이 와 밀양에도 좋은 분이 있다며 나를 추천했으니 연락해 보시라는 내용이었다. 그때 밀양 간호조무사 학원 원장님은 같은 재단병원 설립자 아들이며 또 서울에도 병원이 있어 그곳에 상주하며 근무하다가 밀양에 가끔 내려오셨다. 같은 재단인 병원 임원들도 나이가 지긋하셨고 나와 학원장님은 동갑이라 나보다 어린 원장님이 아니라서 내 나이에 대한 부담감이 없어 근무하기로 결정했다. 주 오일 정도 오전 강의만 두, 세 시간 하는 전임강사이고 다른 시간강사들도 있어 교회 일과도 병행할 수 있었고 새로운 기분도 들었다. 내가 입에 곰팡이 슬겠다고 하나님께 푸념 후 허락하신 응답이었다.

은혜 너싱홈

이웃사랑

이도 쉽지 않지만 내 믿음 가질 수 있습니다
또 내 가정 지키고 내 교회 섬길 수 있습니다
내 직장에 성실하고 내 나라 사랑할 수 있습니다
그러나 하나님을 얼마나 크신 분으로 아느냐 따라
우리 이웃사랑 범위는 더욱 확장됩니다.

간호조무사학원에서 강의를 하면서 참 묘한 기분이 들었다. 뒤돌아보면 교사가 될 기회가 두어 번 있었는데 한 번은 내가 거부하고 다른 한 번은 윗분에 의해 철회한 경우이다. 작고하신 친정아버님은 경찰이셨고 특히 수사 계통에 많이 근무하셨다. 어려서부터 만화책을 비롯하여 책 읽는 것을 좋아했던 나는 아버님이 경찰서 유치장에 가져가시려고 집에 모아둔 책을 이해도 안 되는데 읽기 시작했다. 덕분에 어휘력이 많이 늘었고 어려운 단어도 대강 짐작하여 뜻을 이해했기 때문에 여중에 들어간 이후로는 국어나 고전 같은 과목의 성적이 다른 과목보다 월등히 높았다. 여고 마지막 학년 담임선생님은 국어교사이자 상담교사셨다. 국군간호사관학교에 가려는 나를 사범대학에 가라고 만류하셨지만, 나는 학비 부담을 줄이려고 선택했을 뿐만 아니라 왠지 선생님이 되고 싶은 마음이 없기도 하여 결정한 대로 국군간호사관학교에 입학했다. 다른 한 번은 국군간호사관학교를 나오면 일정기간 의무복무를 해

야만 했는데 그 기간이 다되어 나는 전역지원서를 제출하고 보건교사
가 되기 위한 순위고사를 보아 합격을 했다.

그러나 그때 동기생들이 너무 많이 전역 지원 신청을 하여 전역 취하를
위한 간호부장님의 설득이 집요하셔서 전역 취하를 하는 바람에 또 교
직의 길이 무산되었다. 그 당시 나는 국군수도통합병원 근무 중이었고
중령이신 간호부장님은 전에 1군사령부 간호과장이셨는데 내가 국군원
주병원에서 더 전방을 가야했을 때 특별한 청을 넣지 않았음에도 어린
자녀를 둔 간호장교들에게 혜택을 주셨다. 아마 정작 그분은 기억도 못
하시겠지만 나는 이를 은혜로 알고 간호부장님 만류에 거역을 못하고
응했던 것이다. 그런데 퇴역 후 전혀 생각지 않았던 기회가 찾아와 간호
조무사학원 강의를 하며 나는 내가 가르치는 일을 의외로 좋아한다는
생각이 들었다.

한편, 강의를 하면서도 노인복지에 관심이 많았던 나는 가까운 노인복
지 시설도 방문하고 관련 법규도 찾아보다가 이미 교회는 밀양 시내로
옮겼기에 집을 사용하여 너싱홈을 운영해 보기로 하고 진행을 했다. 너
싱홈이란 경력 간호사가 시설장이 되어 운영하는 전문유료노인요양시
설로 이미 구미에서는 널리 활용되고 있었으나 그때만 해도 우리나라에
서는 초창기인 약간 생소한 형태의 노인복지시설이었다. 집의 용도도
전환하고 주민 동의도 받고 여러 번 해당 부서를 방문하고 담당자의 확
인 작업을 거쳐 1999년 3월에 은혜너싱홈을 개원했다.

3년 정도 강의한 간호조무사학원을 사임하고 나는 처음에 부산에서 오신 할머님 한 분을 모시기 시작했다. 중풍으로 몸을 가누지 못하셨고 체중도 많이 나가 자세 변경하는 것도 싫어하셔서 욕창 방지를 위해 두 시간에 한 번씩 체위 변경을 하려면 애를 써야 했다. 성인용 기저귀를 차셨고 다소 우울증도 있으셔서 식사를 거부하실 때면 잘 설득해 숟가락으로 떠드렸다. 하지만 전에 모시던 막내 따님과 헤어져 계신 것을 힘들어하시고 우울증도 깊어지며 식사량도 점점 줄어 나는 가족들에게 상황을 설명하고 모셔가도록 했다. 할머님이 나가신 후 생각해보니 하나님께서 돌아가신 시어머님에게 좀 더 잘해드릴 걸하고 생각하던 내 마음의 부담감을 깨끗이 씻어주시기 위해 이번 기회를 허락하셨다는 깨달음이 왔다. 나는 너싱홈을 하나님께서 전에 말씀하셨던 나눔교회, 만남의 집, 누림관 이름 중 누림관 사역이라 여겨 진행해왔기 때문이다.

그즈음 나는 일본 아사히신문 논설위원인 오쿠마 유키코가 쓴 '노인복지 혁명'이라는 책을 읽게 되었다. 북유럽 노인복지시설을 심층 취재한 보고서로 일본 노인복지정책의 획기적 변혁을 가져온 책으로 알려져 있다. 당시 일본은 좋은 시설이라 해도 자리에 누운 와상 노인들인 경우 외부 도움 받으며 수명 연장만 하는 형태였으나 이미 북유럽 경우 사회적 연대 위해 창출된 복지지지 세력으로 인해 아무리 몸이 불편해도 자리에 들어 눕지 않을뿐더러 더 나아가 활동할 수 있도록 하는 시스템이 가동되는 것을 보고 온 필자가 충격을 받고 돌아온 후 기록한 것을 내용으로 하고 있다. 이 책을 읽어본 나는 역시 벅차오르는 기분을 누르기 힘들었는데 이렇게 소규모로 누워계신 분들의 대, 소변만 받아내고 돌봐드리는 일의 중요성도 간과하지는 못하지만, 노인복지에 대한 관점의 대변혁과 함께 더 보완되고도 유용한 기회가 주어질 때까지 노인복지시설에 대한 꿈을 유보해야겠다는 결론이 내려질 즈음 마침 살고 있는 집을 매매해야 할 상황이 벌어짐으로 인해 2년 6개월 만에 은혜 너싱홈을 폐쇄하였다.

재활승마

비상

그대 왜 마음이 조급한가요
시간이 그대 쫓아오나요
지나온 시간보다
앞으로 시간 얼마 남지 않았다는 초조감이
당신을 엄습해오나요
아니예요, 비록 뒤돌아보면
후회되는 시간 지워버리고 싶은 순간 있을지라도
당신 무의미한 일상 산 게 아니고 인생 겪어온 거예요
당신 삶 단조로웠을 수 혹은 힘겨웠을 수 있었겠지만
한 가지 분명한 것은 독특하고 존귀한 삶이었다는 것
전지전능하신 그분 허락하신 역경과 환란 너무도
고통스럽고 마치 감옥처럼 느껴져 옴짝달싹 할 수
없었겠지만 이제 그분 뜻 안에서 바르게 해석된 후에는
그것이 바로 동일한 아픔을 겪는 사람들 품으라 주신
하나님 선물이었음을 깨닫고 바로 그것 당신 인생 만나는
동반자들에게 나누어 줄 영혼 사랑 된다는 것을
당신이 의미 없이 우연히 태어난 삶 아님 깨닫게 된
이후부터 당신 지구에 태어난 목적을 향해
지구에 존재하는 남다른 존재로 독특하고 비교 불가능한
아름다운 사람으로 가슴 깊이 숨겨왔던 소망을 향해

접어둔 날개 펴고 시간 넘어 영원으로 비상하는 거예요
하늘 바람 타고 당신 만드신 그분과 함께.

아들이 동서대학 환경공학부에 입학했다. 기독교 재단이며 목회자 자녀에 대한 혜택이 있다 하였는데 학기 당 10만 원으로 조금 실망스러웠지만 과대표도 맡아 장학금 혜택을 더 받을 수 있었다. 대학을 일 년 다닌후 해병대에 입대했다. 나는 순둥이가 적응을 잘해 건강하게 군복무를 마치고 돌아오기만을 기도했다. 자녀 둘이 대학을 다니다 보니 땅을 더사서 전원교회 꿈 이루려는 계획이 무산되고 오히려 계곡 앞 땅 500평을 팔아야만 했다.

한편, 당시에 부산대학교 밀양캠퍼스 전신인 밀양대학교 동물자원학과에서 사회교육원 과정으로 승마 과정을 운영했는데 남편은 그곳에 등록했다. 원래 동물을 좋아하는 남편은 말을 타는 것보다 애정을 갖고 관리하는 것을 더 좋아한다. 이를 본 독일 유학에서 돌아온 대학 강사인 김박사님이 목사님 같으신 분이 재활승마를 하셔야 한다며 남편에게 재활승마를 소개했다. 재활승마란 2차 세계대전 후 불구가 된 군전역자들의 재활을 돕기 위해 승마를 이용한 재활 프로그램으로 독일에는 수 많은 마을에 재활승마치료센터가 세워져 자폐아, 뇌성마비, 신체 불구자등을 대상으로 신체뿐만 아니라 심리적 효과도 기대하며 행해지고 있는 치료 과정 중 하나이다. 대학에서도 승마를 할 수 있고 말을 잘 다루는 대학생들을 자원봉사자로 해서 이 프로그램을 소개했으며 남편과 나도 참여하여 마산과 창원 지역 특수교육을 전공한 교사가 인솔한 팀을 대상으로 하는 이론 교육과 실제 시범교육에 참여했다. 그 이후로 남편은 재활승마를 할 수 있는 넓은 터가 있는 곳으로 옮기고 싶은 소망을 갖게 되었는데 어느 날 집에서 저녁식사를 하기로 초대한 일행 중 우연히 함께 오신 분이 우리 집을 팔 의사가 있음을 확인하고 연결해주신 분이 부산 소재 성당에 시무하는 신부님이셨다.

그 신부님은 다음 날 아침 일찍 부산을 출발하여 우리 집을 둘러보고는 매입 의사를 밝히셨다. 추후 노인복지시설과 수녀님들 피정의 집 용도로 공동체 생활에 적합한 장소를 수없이 물색해온 그분께 더할 나위 없이 적합한 장소였기 때문이다. 막상 갑자기 그런 일이 닥치니 마음이 당황스러워졌다. 꿈을 가지고 집을 지었고 노후생활을 보내려던 장소였고 아직 갈 곳도 정해지지 않은 상태였기 때문이다. 신부님은 충분한 기간 여유를 가지시고 이사할 곳이 정해지면 옮기셔도 된다며 마음 편하게 생각하시라며 남편이 설명하는 매매 가격을 그대로 수용하셨고, 남편도 덤으로 150평 정도를 더 드렸다. 참으로 목사님과 신부님 간의 신뢰를 바탕으로 한 이상적 거래였다.

우리는 40일 정도 기간을 새로운 장소를 위한 기도에 들어갔다. 시골 생활 7년 하면서 느끼는 바가 많았다. 전원생활은 많은 도시 생활자들이 은퇴 후 동경하는 생활 형태이다. 하지만 나의 경우 너무 일찍 시골에 정착했다는 생각이 드는 것을 막을 수 없었다. 주변에 전원주택을 짓고 이사온 분들과 교제도 이루어져 서로 집을 방문하곤 했는데 그들 역시 삼, 사년 정도 지나 어느 정도 집 정리가 끝나면 시골 생활을 무료해하고 부부 간에도 갈등을 느꼈다. 그들 나름대로 노후대책으로 계획했던 농사나 과수원등의 일들이 생각만큼 수입이 되지 않고 몸에 배인 일이 아니라서

열매

몸이 따라주지 못했기 때문이다. 또한, 시골 분들이 생각보다 폐쇄적이고 배타적이어서 그들과 동화해 산다는 것이 생각보다 쉽지 않고 항상 타지 같은 느낌이다. 우리만 해도 본 마을과 상당히 떨어져있지만 땅 정지작업 할 때부터 수없이 많은 시비 거리를 가지고 와서 이치에 맞지 않는 얘기할 때가 많아 대화가 안 되는 경우가 많았기 때문이다.

어느 도시나 마을에 정착하려면 몇 년 정도 살아본 다음 충분히 여러 가지를 파악한 후 땅을 사고 집을 지어야 한다. 보통 도시 생활에 염증을 느끼고 전원생활을 동경하는 경우 땅을 보면 웬만한 장소가 다 좋아 보이고 그곳에 물이라도 가까이 있으면 금상첨화로 여긴다. 나름대로 선호가 있지만 방향에 대한 개념도 없어 북향 땅도 많이 사는지라 겨울에 해도 빨리 지고 볕이 들지 않아 을씨년스러운 경우가 많다. 더욱이 이제는 평균 수명이 길어져 지금의 나이는 전 세대의 나이와 여러 가지로 비교되지 않는다. 부부가 다 같이 운전을 하면 다행이지만 그렇지 않으면 전원주택 사는 부인의 경우 발이 묶인다. 또 외로움을 느끼는 남편이 도시 친구들을 만나러 다니기 시작하면 온갖 일들은 부인 독차지가 된다. 때론 그 반대의 경우도 많다. 또 전원주택은 자신의 취향을 한껏 반영하여 지었기 때문에 혹 전원생활을 정리하고자 할 때도 팔기가 어렵다. 다들 자신들 동경에 따라 꿈을 가지고 짓고 싶어 해 다른 집들이 마음에 들지 않기 때문이다. 아마 나도 직접 경험하지 않았으면 평생 전원생활에 대한 미련이 남았을 터다.

사연리를 떠나며

당신 발치에 앉아 (마리아처럼)

내가 여호와께 청하였던 한 가지 일
나로 내 생전에 여호와의 집에 거하여
여호와의 아름다움 앙망하며
그 전에서 사모하게 하실 것이라
옛적 당신 사랑하는 이의 그 고백
당신 사랑하는 딸 그 길 택했습니다
사람들 이목 혈족의 불평 그 무엇도
당신 발치 앉은 저 내치지 못합니다
당신 말씀 있는 자비와 은혜요 긍휼의 자리
오직 이곳이 좋사오니 저는 떠날 수 없나이다
한 평생 다하여 당신만 흠모하며
당신 영광 보고자 하여 성전 떠나지 못한
안나와 시므온처럼 오늘도 당신 발치 앉아
조용히 청종하며 당신 영광 보고자 합니다
주여, 말씀하옵소서 주의 계집종이오니
말씀대로 하겠나이다 나를 멀리하지 마옵소서
내 눈에는 오직 당신만 보이고 내 귀에는 오직
당신 음성만 들릴 뿐 오늘도 제가 앉은 이 자리
당신 발치 떠날 수 없나이다.

열매

2000년 한여름 가까운 어느 날, 마당에 차 세우는 소리가 나 창밖을 내다보니 웬 남자분이 차에서 내려 현관 쪽으로 다리를 절뚝이며 걸어오고 있었다. 300평 잔디밭을 걸어오는 분이 누군가 한참 쳐다보니 전에 집을 지었을 때 만났던 삼익주택 홍사장님이었다. 6년 만이었다. 그렇지 않아도 가끔 이분이 궁금하여 알 만한 사람을 만나면 소식을 묻곤 했는데 근황을 아는 분들이 없었고 때로는 암으로 돌아가셨다는 소식도 들었던 터이다. 거실로 들어와 사연을 들은즉 그동안 몸이 무척 아팠고 골반뼈도 이상이 있어 활동을 못하다가 다시 사업을 재개하여 표충사 근처에 집을 지을 예정인데 다녀가는 길에 목사님 생각이 나서 들렸다고 했다. 얼굴을 보니 아래턱이 부어오른 듯하고 얼굴도 비뚤어져 있었다.

목회하기 전 건설회사에 잠시 근무한 적 있는 남편은 건축에도 관심이 있어 그 집 지을 현장 터를 우리와 함께 가보았다. 캐나다 수입 자재로 직접 캐나다에서 온 목수들이 와서 짓는 통나무집을 계획하고 있었다. 몸이 불편한 그분에게 우리는 전도를 했고 그분은 사업상 건축일을 하다 보면 건축주 따라 절에도 가고 때론 이상한 곳에 가기도 했지만, 우리 교회에 등록을 하기로 결심하고 다음 주일 아들과 함께 교회에 나왔다. 신문에 대대적인 광고도 이미 하고 캐나다를 방문해 목수나 자재는 이미 교섭이 끝난 후이고 다음 건축 예정지도 여러 군데 교섭 중이었다. 하지만 새로 시작하는 사업을 위한 자금 사정이 안 좋아 보여 캐나다 목수들을 우리 집에서 숙식하도록 편의를 제공했고 자재가 서울에서 밤에 출발하여 건축지에 도착하는 시간이 아침 여섯 시 정도여서 그 시간에 그분이 부산에서 오는 것은 무리인지라 우리가 자재를 확인하고 받아주기로 했다.

집의 기초를 놓는 레미콘 작업은 전에 간호조무사학원 공사를 맡았던 김사장님을 연결해 주었고 사업 전망이 밝다고 여긴 김사장님 가족 역시 교회에 등록하여 교인이 되었다. 또 경주에서 한 가정, 부산에서 한 가정 이렇게 등록을 하여 기존의 교회 식구들과 함께 예배드렸고 그 해 8월에 8명, 10월에 3명이 집 옆 흐르는 개울가에서 침례를 받았다. 하지만 곁에서 관찰을 해보니 홍사장님은 공사를 따낼 생각에 좀 싸게 건축 계약을 하는듯했고, 또 건축주들은 계약에 없는 추가 공사를 자꾸 요구하는 데 거절을 못하고 공사를 진행하니 집은 많이 짓는 것 같은데도 불구하고 마이너스 공사를 하고 있었다. 설상가상으로 심한 두통으로 부산삼선병원 응급실에 실려가 신경외과, 치과에서 검사를 하니 악성뇌종양, 하악골 종양, 견갑골 종양, 폐종양으로 진단이 났다. 직원도 없는 홍사장님이 입원을 하니 건축을 마무리해야 하는지라 본의 아니게 남편이 개입되어 진행하게 되었다.

의지가 강했던 홍사장님은 병원에 서약서를 쓰고 퇴원하여 또 공사 현장에 나왔다. 어느 타 도시 현장인가는 숙소에 쓰러져있다고 연락이 와서 남편이 청소년인 그분 아들과 함께 그분을 데려다가 병원에 입원시켰다. 건축을 진행하기 위하여 어쩔 수 없이 남편이 사인을 하고 인부들 숙식을 제공했고 작은 자재들은 남편이 아는 가게에서 외상으로 가져다가 제공을 했다. 그러나 자금이 없는 상태에서 공사를 다 진행할수 없어 손을 들어야만 했고 그 과정 중 우리가 겪은 어려움은 말로 다 표현할 수 없다. 나는 남편이 책임진 부분에 대해 매월 분할하여 갚아나갔다. 한편, 김사장님은 자신이 데리고 일하는 인부들 삯을 지불해야 하는데 자금이 부족해서 농협에 대출을 받는데 사정이 딱한지라 남편이 집을 보증서서 해결해 주었다. 그는 부인을 무서워했는데 농협에서 대출 이자에 대한 고지서가 날라 오자 목사님이 돈이 필요해 자신이 돈을 빌려주었다고 거짓말을 해서 화가 잔뜩 난 부인이 어느 날 돈을 갚으라고 집에 전화를 했다. 나는 어떤 이익을 생각하고 공사에 참여했으면 손해도 감수해야 되지 않느냐고 설득을 했지만 말이 통하는 상황이 아니었다.

김사장님은 간호조무사 학원 공사를 할 때 학원장님이 남편에게 공사 감독을 부탁해서 봉사 차원으로 개입하여 소개를 받아 공사를 진행했다. 나중에 결산할 때 남편이 무보수로 일한 것에 대해 감명을 받고 5만 원 봉투를 헌금했고 어떤 업자는 식당에서 만났는데 밥값을 내어주고 나갔다. 이 과정에서 학원장님 부친이신 이사장님도 오해를 하셨는데 나중에 내막을 알고 죄송하다고 사과하셨다. 며칠 후 저녁 무렵에 김사장님은 술을 먹은 인부들을 데리고 집 마당에 돗자리를 펴고 돈을 내놓으라고 행패를 부렸고 입에 담지 못할 소리를 하며 담임목사님인 남편 멱살을 잡고 흔들었고 심지어는 우리가 돈을 떼먹고 어딘가에 땅을 사 놓았을 것이라고까지 하였다. 참다못해 우리는 파출소에 신고를 했고 부끄러운 마음과 분한 마음이 교차되어 마음을 달래기가 힘이 들었다.

우리는 퇴원해서 집에 있는 홍사장님에게 전화를 해 이 상황을 해결하라고 했고 그분이 내려와 각서를 쓰고 이 사건은 일단락 지었다. 본인들이야 어떤 이익을 생각하고 교회 등록을 했다고 볼 수도 있지만 꼭 그렇다고 생각하고 싶지 않았고 목사님 입장에서는 말씀을 먹이고 침례까지 베푼 교인들 아닌가 하는 생각을 했다. 이리저리 생각해도 마음이 허

탈해지기는 마찬가지였다. 이런 일을 겪으니 집을 떠나는데 아쉬움이 남았던 나는 그곳에 오만정이 다 떨어졌다. 이사할 곳을 위해 작정했던 40일 기도가 끝난 후 우리는 운동장도 있고 축사도 있는 목장으로 세 얻어 이사하기로 결정했다. 신부님과 결산을 하고 융자금을 갚았는데 설상가상으로 IMF까지 겹쳐 7년 동안 이자가 원금만큼 들어갔고 기타 자질구레한 것들을 정리하고 나니 맨손으로 시작한 것처럼 다시 맨손이 되었다. 그곳에서 꿈꾸었던 비전은 모두 그곳에 묻혀버렸고 우리는 그렇게 사연 많은 사연리를 떠났다.

챔프 목장

흔적

내 안에 있는 당신 흔적 새까맣게 타버린 그루터기

내 힘으로 안 되고 내 능으로 불가한 인생

당기다 당기다 끊어져 버린 무명실 같은 내 혼이여

절벽 가장자리 미끄러지다 마지막 붙잡은

나뭇가지 놓아버린 피맺힌 내 손톱

사방팔방 눈먼 자 같이 보이지 않는 칠흑 같은 어두움

한 치 앞 보이지 않는 절망감 목 놓아 울며

불렀던 당신 향한 나의 노래

깊은 협곡 바위틈 끼어버려 움직이면 움직일수록

더 옴짝달싹 할 수 없었던 심연이여

뛰어내리고 싶었던 강물 바라보며

기꺼이 보이던 저 천국 당신계신 그곳

그립고 그리워 왈칵 쏟아진 내 눈물

수많은 발자국 나 짓밟고 지나갈 때도

결코 놓을 수 없었던 당신 옷자락

항상 곁에 계셨으나 침묵하셨던 그 시간들

내 안에서 탄식하신 당신의 오랜 참으심

브니엘 밤새도록 당신 사자와 씨름한 야곱처럼

당신 나 축복하지 않으시면 결코 이 씨름 멈출 수 없노라

생사 갈림길에서 환도뼈 위골당한 울부짖는 단말마 비명

이제 나 절름발이 되어 당신 의지하며 걷는 자 되었으니
이후로는 나 괴롭히지 말라 내 몸에 예수 흔적 가졌노라
겟세마네 동산에서 아버지 뜻 순종하는 당신 흘리셨던
피로 물든 땀방울 내 육신 십자가에 세 개의 못 박고
당신과 함께 동행 하는 이 걸음
이제는 내가 사는 것이 아니요 오직 내 안에 예수 그리스도께서
사시는 것이라 내가 육체 가운데 사는 것은 나를 위하여
자신을 버리신 하나님의 아들 믿는 믿음이라
이후로는 나를 괴롭게 하지 말라
내 몸에 예수 흔적 가졌노라고.

2001년 10월 1일, 챔피언 말이 생산되기 원하는 염원으로 '챔프 목장'이라 이름 지은 곳으로 이사했고 마사회에 등록했다. 세 자녀들은 군 자녀 기숙사를 나와 광안리 바닷가에 인접한 아파트를 하나 얻어주고 아이들만 편하게 지낸다면 마구간이 대수냐 예수님도 마구간에서 태어나셨는데 라며 남편과 나는 이곳저곳을 정리하며 먼지를 뒤집어썼다. 시내로 옮긴 교회에서 예배드릴 때를 제외하고는 거의 이곳에서 지냈다. 교회 식구들이 썰물처럼 빠져나가고 재활승마를 도와주던 대학생들이 대신 자리를 채워주었다. 남편은 경주마 생산사업을 신청했고 마방이 열 개 정도 되는 축사에는 경주마생산용 종빈마 5마리, 재활승마를 위한 말 2마리, 기증받은 당나귀 한 마리가 자리 잡았다.

전국적 규모로 재활승마협회도 구성되었고 협회를 통해 연락해온 자폐 증상과 뇌성마비를 보이는 아이들을 대상으로 재활승마요법을 시작했다. 그중 지금도 가장 보람 있는 일은 울산에서 오는 00이의 경우다. 아

버지는 의사셨고, 친할아버지가 운전하시고 할머니와 하께 일주일에 한 번 정도 왔는데 삼대가 절에 다니는 이 집은 목사님께 손자를 맡기는 데 하나님을 믿어야 되지 않나 라고 결단하신 후 삼대가 다 울산에 있는 교회에 등록 후 예배드리고 찾아온 경우이다. 한국재활승마협회에서는 학술대회도 개최하여 재활승마에 대해 홍보와 교육도 실시했다. 2002년 8월에는 춘천에서 한림대학 체육학과와 연계하여 춘천보호관찰소에 있는 청소년들을 도우미로 자원봉사를 하게 하는 사랑의 재활승마캠프를 2박 3일로 개최하기도 했다. 특히, 재활승마를 잘 활용하고 있는 장애 아동을 위한 특수 공립학교가 바로 미국 미시건주 랜싱시에 있는 비크만 센터이다.

재활승마요법을 위해서는 기본적으로 말을 잘 다루어야하기 때문에 나도 승마를 배웠고 종빈마를 키우며 말에 대해 많은 것을 배워나갔다. 개박사인 남편도 말은 처음 키우는지라 제일 먼저 구입한 백도라는 말은 다리 골절이 회복되지 않아 안락사 시키는 아픔도 겪었고, 젠슬레이터와 커리어우먼은 근처 공사장에서 발파 작업하는 소리에 놀라 유산을 하기도 했다. 출산을 한 월밍턴과 하우스와이프 자마들은 출생 후 1년이 되기 전에 육성마 목장으로 팔려나가 그곳에서 경매에 나갈 때까지 육성과 훈련을 받고 경주마 준비를 하게 되었다. 이 자마들이 경매에 나간 후 구입한 마주는 마사회가 운영하는 경마장에 위탁 관리한 후 경주에 나가게 되는데 우리는 몇 년 지난 2006년과 2007년에 한 마리는 두번 다른 한 마리는 한 번의 1등 경주 소식을 듣게 되어 너무 기뻤으며 약간의 생산자 장려금도 받았다. 경험도 없는 소규모 목장에서 단 두 마리 생산한 말이 그렇게 좋은 성적을 낸다는 것은 하나님의 도우심이라고 생각할 수밖에 없었다.

한편, 우리는 개척 초기의 상처에서 빠져나오기가 쉽지 않았고 영적으로는 목회 비전이 보이지 않는 까닭에 침체기를 겪고 있었다. 교회를 채운 대학생들이 학교를 졸업하고 취업으로, 집으로 각자 떠나가니 한두 가정이 예배를 드렸고 마지막으로 전도하여 예배드리던 가정도 김해 본가로 돌아가게 되었다. 남편과 나는 둘이 마주보며 예배드렸고 서로 말은 하지 않았지만 목회를 계속해야하나 하는 심적 갈등도 생겼다. 어느 날 남편이 나에게 아무 생각하지 않고 일 년만 목회를 쉬고 싶다고 하였다. 우리는 시내에 있는 교회를 정리했고 주일 오후에 영남병원 정신과에서 드리던 예배도 내려놓았다. 저녁 먹은 후 나는 말 운동장에 나가 몇십 바퀴를 돌면서 기도를 하곤 했는데 산중턱에서 내려다보면 보이는 동네 십자가 불빛을 바라보며 하염없이 흐르는 눈물을 주체할 수 없었다. 남편에게 내색을 하지 않기 위해 붓고 충혈된 눈을 찬물에 한참이나 가라앉힌 다음 방으로 들어서곤 했다.

경상간호학원

나는

나는 치매다
하나님 크신 사랑과 돌보심
매일 잊어버린다
나는 강도다
매일 하나님 것 도둑질한다
나는 환자다
매일 하나님 응답 의심하고 있다
나는 거짓말쟁이다
하나님 의지하고 순종한다면서
항상 근심 걱정 달고 산다.

바라보았던 비전들이 물거품 되어 버리고 미래의 방향이 정해지지 않음으로 나는 심적인 우울증을 앓게 되었다. 두통이 잦아졌고 어느 날 인가는 박동성 두통이 너무 심해 눕기도 어려운 상태가 2-3일 계속되었다. 약을 먹으며 좀 진정이 되려나 기다려 보았지만 차도가 없어 나는 정말 머리에 무슨 문제가 생겼나 하여 CT를 찍어보기로 했다. 마침 경산에 있는 경상병원에 관리이사로 근무하는 선배가 있고 또 노인병원 건강검진과에 후배가 팀장으로 있어 그곳으로 가서 검사를 했다. 남편과 아이들이 모두 따라와 염려하며 대기실에서 기다렸고 잠시 후 일찍 알려

준 결과는 머리에는 아무 문제없는 것으로 판명되어 안도의 숨을 쉬었다. 통증 원인을 찾기 위해 통증관리실로 갔고 몇 가지 검사 후 스트레스로 인해 어깨가 뭉치면서 굳어져 목에서 머리로 올라가는 혈관이 눌려져 생긴 두통으로 밝혀졌다.

집으로 돌아온 나는 환경의 변화가 있어야겠다는 마음이 생겨 하나님 앞에 기도로 올려드렸다. 2-3주 지난 후 선배와 그날 병원을 일일이 안내하며 도와준 후배에게 고맙다는 인사를 하러 병원에 들렀는데 선배가 병원에 간호조무사학원이 생겼고 학원을 맡아 운영할 강사가 필요한데 마침 그날 학원 관계 담당자가 찾아와 나이가 좀 있고 간호장교 출신이면 좋겠다며 소개를 부탁하고 다녀갔다고 했다. 바로 그 뒤에 내가 찾아갔기에 혹시 간호조무사학원에 근무할 의향이 있느냐고 물었다. 나는 기도에 대한 응답으로 생각하고 근무하기로 결정했다.

한 가지 문제는 대중교통을 이용하면 집에서 두, 세 번을 갈아타야겠기에 운전 연수를 하려고 마음먹었다. 면허는 군병원 퇴역하기 전 따놓았지만 집을 지었던 곳이나 지금 목장길이 협소하고 약간 비탈져서 운전한다는 생각을 엄두를 내지 않았었다. 밀양에서 경산 가는 길은 마을도 지나가고 꼬불꼬불 산길도 넘어야했기 때문에 마치 나의 연수를 위해 준비된 길처럼 다양한 코스로 되어있었다. 학원 강의는 야간반이 먼저 개설되어 나는 야간운전을 마음 졸이며 긴장 속에 출퇴근하느라 다른 일 신경 쓸 여유 없이 시간이 지나갔다.

목장으로 이사 온지 3년 다되어가는데 목장이 매매되어 거주지를 옮겨야 했다. 우연의 일치로 이곳 역시 밀양의 신부님이 노인복지 사업위해 타지의 천주교 교인에게 땅을 사게 하고 무상으로 임대하여 들어오는 경우라서 우리는 계속 신부님들이 목사님을 밀고 들어온다고 하며 다음 거주지 위해 40일 기도에 들어갔다. 얼마 전 가까운 곳 땅을 부동산 중개업을 하는 그 동네 전 이장이었던 분을 통하여 소개받은 후 면사무소에 가서 말을 키우기 위한 장소인지 확인까지 한 다음 계약금까지 치렀으나 포기한 일이 생겼다. 동네에서 한참 떨어진 곳인데 주민들이 동네 회의를 하는 곳에 남편을 불러 마치 인민재판 하듯 하는 바람에 목사인 남편이 말없이 물러나왔던 것이다.

하나님께서 크고 넓은 땅을 주신다고 기도 중에 말씀하셔서 응답을 받았는데도 40일은 다 되어가고 동물들과 같이 옮겨갈 마땅한 곳이 쉽게 나타나지 않아 난감했다. 40일 되는 날 아침 우리는 일단 차를 타고 시동을 걸었다. 목장에서 15분 정도 가면 전에 손님과 함께 가보았던 실내 낚시터가 있는데 장소도 넓고 건물도 여러 채 있던 기억이나 그곳으로 가보기로 했다. 무조건 주인을 만나 의사 타진을 했는데 너무 갑작스러운 일이고 이 장소를 임자가 나타나면 팔려고 계획한다며 난색을 표했다. 우리는 만약 매매가 되면 3개월 정도만 말미를 주면 옮기겠노라 말하여 한 여름 성수기 지나고 8월 말쯤 이사 오기로 결정지었다. 그분 안내로 자세히 둘러보니 만 평 부지에 실내 수영장도 있고 양어장을 개조하여 운영하던 낚시터는 폐쇄하고 땅을 둘러싸고 흐르는 호수 크기의 자연 낚시터와 방갈로들, 식당, 숙소가 있는 아름다운 곳이었다. 우리는 이사 오기 전에 미리 마방과 견사를 짓기로 했고 집은 독채로 되어있는 곳을 사용하기로 계약했다.

민봉이

기기묘묘 신묘막측하신 하나님

보라
내가 새 일 행하리니
너는 잠잠히 있어 나의 나됨 지켜보라
온 땅이여 찬양하라 여호와를 송축하라
기기묘묘 신묘막측하신 여호와로다
보라 내가 새 일 행하리니
너는 가만히 있어 나의 행하심 지켜보라
만물이여 찬양하라 여호와를 송축하라
기기묘묘 신묘막측하신 여호와로다.

이사하기 위해서는 먼저 말이 옮겨갈 마방이 준비되어야 하겠기에 남편과 나는 부지런히 움직였다. 손 솜씨 있는 남편은 프로는 아니지만 손수 일을 할 때가 많다. 전에 집을 사셨던 신부님은 이사 오는 수녀님들에게 집을 딱 한 번 보여주시고는 목사님 내외분이 속상하시니까 이사 가실 때까지 드나들지 말라고 배려해 주셨다. 뿐만 아니라 매매가 성사되는 날에도 정성껏 꾸려진 아름다운 선물 바구니도 들고 오셔서 위로해 주셨는데 이번에 옮겨오시는 신부님은 축사를 빨리 수리해야 한다며 은근히 압력을 주었다. 마음에 부담도 되고 빨리 옮기고 싶어 몸이 피곤해도 무리하며 강행군했다. 3년 후 그곳 소식을 들었는데 축사 수리는 했지만 그곳에서 계획한 일은 전혀 시작도 못하고 있는 상태였다.

우리는 2004년 8월 이사했다. 이제 운전도 어느 정도 익숙해져 계절 따라 변하는 주변 경치도 감상하며 간호조무사학원에 출퇴근했다. 장로인 학원장님은 병원 업무와 겸무했고 사무실에는 전문대 출신으로 학원생이자 아르바이트로 사무일 돕는 민봉이라는 막내와 동갑내기가 있었다.

나는 말 수가 많은 편도 아니고 특히 근무시간에는 더욱 업무외의 대화는 하지 않는데 민봉이와 함께하며 내가 많이 변한 것을 느낄 수 있었다. 끊임없이 조잘대는 민봉이는 수시로 사적인 것도 질문하곤 하는데 천진스럽기도 하고 철이 없는 듯도 했지만 솔직한지라 웃음을 참으려 해도 터져 나올 때가 많았다. 지금도 기억나는 것은 어린 시절 학교 다닐 때 본인 양 볼이 항상 빨개 친구들이 놀렸는데 이를 촌년 병이라 한다나 생전 처음 듣는 단어였다. 아무튼 민봉이 때문에 나도 모르게 군대 시절 몸에 밴 권위가 무너져 내리고 눈높이 맞춘 대화를 하게 되었다.

살고 있는 집과 조금 떨어진 곳에 식당과 낚시터를 운영하는 주인 내외는 우리와 비슷한 연배였다. 주로 낮에는 부인이 움직이고 남편은 저녁 술자리 외는 잘 보이지 않는데 어쩌다 눈에 뜨일 때면 축쳐진 어깨로 땅만 보고 다녔다. 어느 날 몇몇 사람들이 드나드는데 물으니 농협 직원들이라 했고 드문드문 들려오는 소리가 채무 관계로 온 듯했다. 어느 저녁 식사 초대받은 자리에서 주인은 그곳을 담보로 대출한 이자가 많이 밀리고 경매 이야기도 나오는데 땅과 건물이 덩치가 커 매매가 잘 안된다며 심중의 어려움을 털어놓았다. 기가 푹 죽어 땅만 보고 다니는 주인도 딱하고 더욱이 경매 들어가고 시끄러워지면 이제 막 이사한 우리도 힘이 드는지라 이사 직후부터 옥상에 올라가 수동 런닝머신으로 걸으며 기도생활을 시작한 나는 이 문제도 함께 기도했다.

그곳 경치는 밀양에서 제일 좋다 해도 과언이 아닌지라 옥상에서 사방을 바라보며 이런 곳은 개인보다는 공유하면 좋겠다는 마음이 들었다. 나는 하늘 향해 손을 뻗고 사방, 팔방 쪽으로 악한 세력 향해 예수님 이름으로 명령하며 그곳을 정화시키는 기도를 했다. 그러던 어느 날 심령 속에 이곳에 기기묘묘 신묘막측하게 역사하시겠다는 하나님의 세미한 음성이 들렸고, 그 이후로 나의 뇌리에는 '기기묘묘 신묘막측'이라는 단어가 떠나지 않았다.

4막 ᜊᜈᜊ 추수

화산폭발

화산폭발

아, 그랬던 거야
아, 원래 그 사람은 그런 사람이었는데
나는 거기에 허상을 씌워
내 방식으로 바라보았던 거야
나를 속인 것도 바보 취급한 것도 아닌
그냥 내가 제대로 보지 못했던 거야
내 기준 세워놓고 미치지 못하면
상대방 탓하면서 때로 기이하게 생각하고
때로는 기가 막히고 숨이 막혔지
나는 오로지 내 관점으로 바라보았던 거야
공유 공감이라는 단어가 문득 떠오르네
원래 서로의 생각에는 옳고 그름이
없었는지도 몰라
그냥 우리는 서로 다른 사람이었던 거야.

청도비치타운이라 불리우는 이곳에 이사 오기 한 달 전 나는 종합검진을 받았다. 정기적인 검사라 별 신경 쓰지 않고 있었는데 20일 쯤 후 유방 쪽에 뭔가 의심되는 부분이 나타나 초음파를 찍어야한다는 결과가 나왔다. 학원이 있는 경상병원에서 검진했는데 그 중 한 개는 악성으로 의심되기에 조직검사를 필요로 한다고 했다. 서울삼성병원 예약이 9월

초로 잡혔고 그 사이에 이사를 했다. 이삿짐 정리하며 남편 책상은 본인이 직접 한다기에 놔둔 상태였는데 집안정리가 거의 끝나 나는 남편이 바깥일로 미처 손대지 못한 책상정리를 했다. 서랍 안쪽 케이스 안에 만년필과 볼펜 세트가 들어있었고 또 다른 쪽엔 필기도구들이 담긴 통이 있기에 케이스를 버리고 함께 모아놓았다. 저녁 식사 후 늦은 시간에 침대에 누워 쉬고 있는데 서재에서 남편이 만년필과 볼펜이 들어있던 케이스가 어디 갔느냐 묻는 소리가 들렸다. 나는 정리하며 버렸다고 대답하자 남편이 버럭 화를 내며 내게 소리를 질렀다.

순간 나는 마치 휴화산이 폭발한 것처럼 소리를 지르기 시작했다. 두달 전 결혼 28주년이 지났는데 난 그때까지 남편에게 말대꾸 한 번도 해 본적 없는 사람이었다. 그러니 남들 다한다는 부부싸움 한 번 해 본적 없다. 먼저 신앙생활을 했기에 예수 믿는 여자가 그 모양이냐는 소리도 듣고 싶지 않았고, 계속 경제활동을 해왔기에 남편 기죽이고 싶은 생각도 없는지라 무슨 일 있으면 항상 내가 잘못했다며 넘어가곤 했다. 그러나 잘잘못을 떠나 난들 왜 쌓인 것이 없으랴!
미국의 의학박사이자 심신의학자인 크리스티안 노스럽이 쓴 '여성의 몸 여성의 지혜, 폐경기 여성의 몸 여성의 지혜'를 읽은 적이 있다. 그동안 나에게 여러 차례 생겼던 갑상선혹이 내가 할 말을 하지 않고 억눌른 결과라고 생각해 왔던 나는 유방암 여부를 며칠 앞둔 시점에 신경도 예민해져 지금까지 억눌러왔던 감정들이 마치 휴화산 터진 것처럼 분출된 것이다. "지금 내가 암인지 아닌지 결과 나오기까지 얼마나 신경이 쓰이는데 그깟 만년필 케이스냐 대수냐"며 소리 지르는 나의 모습을 지금껏 한 번도 본 적 없는 남편은 당황하며 미안하다고 사과하며 달랬

다. 그러나 한 번 터진 봇물처럼 멈추지 못하고 "만일 내가 암에 걸렸다면 그건 전부 당신 탓이다"라고 몰아붙였다. 그 후 삼성병원에 가서 진료 후 조직 검사 결과는 섬유성 낭종으로 판명되었다. 모두가 한숨 돌렸지만 심은 대로 거두는 법칙처럼 3년 후 내가 남편으로부터 동일한 공격을 받으리라고는 그 당시 꿈에도 생각하지 못한 일이었다.

소망수양관

미련

천국에 소망 둔다 하면서도
이 땅에서 주님보다
더 오래 살았음에도 불구하고
아직도 육신의 삶에 미련이 많다
한편으로 주신 사명
다 감당하지 못했기에
부끄러운 모습으로 주님 얼굴
대면할 수 없다 해보지만
아직도 롯의 아내처럼
이 세상 것에 미련이 많다
오 주여 저를 긍휼히 여기소서.

청도비치타운 주인이 채무 관계로 계속 시달리는 것 같았고 그 장소가
아깝기도 한지라 남편은 서울 친구들을 초대하여 그곳을 소개했지만 거
리도 멀고 용도를 애매하게 여겨 성사시키지 못했다. 2004년 11월 중순
쯤 부산에 있는 후배가 흥분한 목소리로 전화를 걸어왔다. 후배와 연결
된 목사님들 모임이 있는데 그중 한 분이 후배가 간호장교 출신임을 알
고 내 이름을 대면서 혹시 소식을 아느냐고 물어왔다는 것이다. 그 목사
님 이름을 듣고 보니 내가 국군원주병원 근무할 때 환자로 병원교회에

나왔었고 전역 후에 진로를 국문학에서 신학으로 바꿨노라고 인사차 찾아온 적 있었는데 그 후 졸업하고 목사 안수를 받은 것이다. 환자로 입원하고 있을 때 상담도 해주고 내가 정리한 노트도 빌려가곤 했던 기억이 나는 이름이었다. 이틀 뒤에 전화를 한 그 목사님은 한 번 찾아뵙겠노라 했고 나는 결혼했느냐 물은 후 사모님과 같이 방문하라고 했다.

내가 예민해져 남편에게 퍼부은 뒤로 집안 공기가 가라앉은 상태여서 특별한 관계도 아니지만 부부동반해서 와야 손님 접대가 불편하지 않을 것 같았기 때문이다. 며칠 지나지 않아 부부가 방문을 했고 그동안 가까운 경남지방에서 전도사와 목회자 사역을 했음에도 불구하고 못 만나 뵈었다고 아쉬움을 토로하며 내가 생각보다 한적한 곳에서 생활하는 것을 놀라워했다. 본인이 신학으로 전환한 선택에 내가 결정적 역할을 했다고 여기는 그 목사님은 내 얘기를 사모님과 교인들에게 사부님이라며 여러 번 소개했다고 했다. 집에서 식사 대접을 하고 그곳을 한번 둘러본 그 목사님은 자신의 교회에서 한 달이나 두 달에 한번 씩 전교인 수양회를 하기 때문에 이런 장소가 언젠가는 필요하다고 시작한 얘기가 진전되어 이곳을 구입하는 것을 교회 재직들과 의논해보겠다는 말을 남기고 부부는 떠났다.

그 뒤로 몇 번 방문이 더 이어졌고 우리 부부도 그 교회를 방문했다. 단독목회한 지 4년 쯤 되었다는데 그동안 교회도 건축하고 젊은 교인들이 많아 활기차 보였다. 매매 가격이 좀 부담스럽지만 부채를 그대로 안고 나중에 정리할 수 있는 땅이 있기 때문에 매입을 결정한 그 목사님은 작정기도를 끝낸 후 우리가 이곳에 거주해 관리를 해주셔야 된다고 청을 했고 우리도 호응하여 해가 바뀐 2005년 들어서자마자 계약이 성사되었다.

사지에서 살아난 비치타운 주인은 남편에게 너무 고마워했고 나는 기도한 그 장소를 한 개인이 아닌 교회가 구입하여 비전을 이어갈 수 있다고 생각하니 너무 기뻤다. 하나님께서 기기묘묘 신묘막측하게 역사하시겠다고 한 말씀이 이루어졌다. 교회에서는 이곳을 소망수양관이라 명명하여 입간판을 큰 길에 세웠으며 남편의 뜻이 사회복지시설에 있음을 확인한 그 목사님은 앞으로 근처의 땅을 더 매입하여 함께 뜻을 이루어가겠노라 하며 근처 땅도 같이 돌아보았다. 2004년 마지막 3일을 금식하며 기도한 우리 부부는 새 해 1월 첫 주부터 그 교회로 출석했다. 교단이 달라 합류는 어렵지만 교회 예배는 같이 드리기로 둘이 합의했다. 하나님께서 나는 그곳에서 상담사역을 하게 할 것이라 하셨고 남편은 관리자와 외조 역할을 감당하게 하신다고 알려주셨다. 그곳으로 보내는 이유는 교회가 없음을 민망하게 여기지 않게 하기 위함이며 같이 예배드리면서 합력하여 선을 이루도록 하신다고 말씀하셨다.

추수

이제는 내 차례

성화 봉송

작은 불꽃 하나 큰불 일으키듯이
당신 제단 불붙인 횃불 들고
마라토너 같은 비장한 심정으로
시온의 대로 달립니다
내 안에 타오르는 불 있어
토해내지 않으면 안 되는 격정으로
오직 앞만 보며 두 눈 부릅뜨고
하나님 도성 길 달립니다
주님 제단 산 제물 되어
번제 단 타오르는 불꽃으로
나는 죽고 내 안 사신 주님 모시고
십자가 길 따라 달립니다
하나님 형상이루고 천국 계단 향해
관유 담근 횃불 들고
생명의 길 달립니다.

나는 자녀들이 대학을 다 마치면 앞으로 대학을 두 개는 더 다니겠노라
말하곤 했는데 2005년 2월 막내가 대학을 졸업하자마자 이제는 내 차례
라 생각하며 결단하고 직장을 그만두었다. 그동안 아들은 대학 졸업 후
워킹 홀리데이 비자로 호주에 1년 다녀왔고 중국에 1년 정도 대학에서

주선해준 회사 인턴사원으로 실습 갈 예정이었다. 전공을 살려 간호학 대학원에 진학할까 아니면 상담학을 전공할까 하고 고심 중에 기독교계통 신문에서 'Open Heaven'이라는 컨퍼런스 제목과 함께 WLI라고 칭하는 와그너사역연구원 사역학 과정이 눈에 들어왔다. 볼리비아 선교사, 풀러신학대학의 교회성장학 교수를 역임한 피터 와그너 박사님이 소명을 받아 미국 콜로라도주 스프링스에 본교를 두고 2005년 당시 한국이 7번째, 2007년에는 28개 분교로 확장된 신 개념 교육기관이었다. 2024년 현재, 코로나 이후 미국 등 전 세계는 온라인 수업인 WU로 바뀌었고 한국이 유일하게 출석 수업과 병행하고 있으며 일본에도 새로 개설되었다. 그곳의 교육이념도 좋았지만, 나열된 교수진들이 내 마음을 끌어당겼다.

남편이 워싱턴 침례신학대학 과정을 한국에서 마저 이수할 때 나도 등록하여 수강한 달라스 신학대학 출신으로 학장이신 김호식 박사님의 조직신학 강의는 신학에 대한 기초를 든든히 쌓아가도록 하셨다. 하지만 영적인 면에서는 특별한 스승이 없었고 수없이 읽은 책들과 성령님 인도하심으로 여기까지 오게 된 나는 우물 안 개구리라는 생각이 들어 나열된 교수진들 통해 세계적 흐름을 읽을 수 있는 좋은 기회가 되리라는 기대감이 밀려왔다. 내 소망을 알게 된 젊은 목사님은 학비 지원을 약속했고 첫 회 등록을 했다.

3월 초 어느 날, 전에 근무하던 학원 및 밀양영남병원 이사장님께서 갑자기 남편에게 전화하셔서 부부동반으로 식사 초대를 하셨다. 식사 중에 안부가 늦으셨다며 크리스마스 선물이라고 주시는 봉투를 받아들고 헤어졌다. 다음 날 전화를 주신 이사장님께서 다시 간호조무사학원 강의를 다시 해줄 수 있느냐고 제안을 해오셨다. 나는 강의는 어렵지 않으나 대학원에 다닐 예정이라 한 달에 한번 씩 일주일정도 자리를 비워야해서 좀 곤란하다고 말씀드렸다. 학업과 근무를 병행해도 좋다고 답변주셔서 나는 뜻밖에 삼년 반쯤 근무하던 학원에 다시 출근했다. 앞에서나는 여중학교 1년에 뇌졸중으로 쓰러지신 친정아버님과 여러 동생들도 있어 국군간호사관학교에 들어가게 된 경위를 썼었다. 그런 이유로나는 지금도 집안에 경제력이 있음에도 노력하지 않고 학교에 다니지않는 것을 마땅치 않게 여기며 10년 동안 어떤 일이 있어도 세 자녀들을 대학 졸업시키려고 애를 썼던 것이다.

한편, 성서대학교 대학원장으로 계시며 미국과 한국을 오가시는 김호식 박사님께 문안차 들렀다. 은사님은 남편에게 대학원 과정을 다시 권유하셨는데 그동안은 자녀들 학업 때문이라고 미뤄왔으나 이제 다 졸업해 핑계가 없기에 주시는 원서를 받아들고 왔다. 그 문제 놓고 기도 중에 하나님께서 세 가지를 말씀해 주셨는데 첫째, 은사님이 곁에 두고 싶어 하심이며 둘째, 남편에게 동문을 만들어 주시고자 하심이며 셋째, 그곳을 통해 역사 하신다는 응답을 받았다. 은사님은 오로지 학자시며 강의시간 외는 별말씀 없으셔서 사람들이 어려워하는 분이신데 남편과는 동물을 좋아하는 취미가 같았을 뿐만 아니라 미국에서는 담임목사님이시기도 해서 서로 대화도 잘하셨다. 남편이 영적 아버지로 섬겼으며 한국에 나오실 때마다 우리는 서울에 찾아가 뵙고 식사도 대접해 드렸으며, 청도비치타운도 다녀가셨다. 남편은 성서대학교 사회복지 대학원 과정에 입학했고 가을학기부터 서울을 오가며 강의를 들었는데 은사님과 함께 교정을 걷노라면 흰머리가 희끗해 학부생들은 교수님인 줄 알고 인사를 해왔다. 남편은 후에 성서대학교 부산, 경남 동문회장을 역임했고 은사님은 2021년, 항상 따뜻하게 대해주시던 김은정 사모님은 2022년 미국에서 별세하셨다. 2015년 성서대학교 63주년 감사예배 때 박사님은 새로 지은 밀알관 로고스홀에서 명예박사 학위를 받으셨다. 나는 이때 꽃다발을 증정했으며 그 이전에 남편은 대학 설립자이시자 김은정 사모님 아버지이신 강태국 목사님 흉상을 아드님이신 한국성서대 강우정 총장께 헌정했다.

열린 마음으로

안내자

나는 당신 안내자 되어 내가 맛본 하나님 사랑
얼마나 달콤한지 당신도 맛보게 하고 싶음은
하마 내가 정말 맛있는 음식 발견했을 때 그 음식점
사랑하는 당신에게 소개하고 싶지 않겠습니까
나는 당신 안내자 되어 내가 느낀 하나님 사랑
얼마나 멋있는지 당신에게 말하고 싶음은
하마 내가 정말 멋있는 것 소유하게 되었을 때
아끼는 당신에게 자랑하고 싶지 않겠습니까
나는 당신 안내자 되어 내가 만난 하나님 얼마나
신실하시고 정다우신지 당신에게 선포하고 싶음은
하마 내가 이렇게 좋은 분 만났다면 친애하는
당신에게 소개하고 싶지 않겠습니까
나만 즐겁고 나만 누리면 안 되는 이유는
소중한 당신과 함께 이분 맛보고 느끼며 나누도록
내 사랑하신 분 그 모든 것 허락하심 때문입니다.

'주께서 너희에게 환란의 떡과 고생의 물을 주시나
네 스승은 다시 숨기지 아니하시리니 네 눈이
네 스승을 볼 것이며 너희가 우편으로 치우치든지
좌편으로 치우치든지 말소리가 네 귀에 들려 이르기를
이것이 네 정로니 너희는 이리로 행하라 할 것이며'
(이사야서 30:20~21)

WLI 사역학 석사과정은 2005년 3월 14일부터 첫 강의를 들었다. 이 과정을 듣기로 결정함과 동시에 나는 또 다른 하나의 결심을 했다. 이 과정을 통해 만나는 모든 사람들을 향해 마음 열고 배우리라고 말이다. 지금까지 습득했고 체험했던 모든 것을 내려놓고 겸손한 마음으로 남을 낮게 여기며 그들에게 있는 선하고 아름다운 것들을 내 것으로 취하는 첫걸음이었다. 뿐만 아니라 어제의 것들 무로 돌리고 오늘 빈 마음으로 내일의 것 사모하는 목마른 갈급함이 내게 있었다.

선생님이 될 기회를 두 번이나 비껴간 다음 간호학원생들을 가르치며 매번 느끼는 마음은 언젠가 간호학이 아닌 하나님 말씀을 가르치는 자가 되리라 하는 마음이 점점 더 굳어져 갔다. 삼년 반 만에 다시 돌아와 2005년 3월부터 강의를 시작한 나는 예전의 내가 아님을 알 수 있었다. 일반병원에서 간호조무사 위치나 임무와 달리 종합병원 특히 군병원에서 간호조무사와 간호장교의 차이는 분명하게 다르다. 군병원에서 내가 근무할 당시는 간호조무사는 군무원의 위치로 한 병원에 한두 명 있었다. 군병원에는 위생병들도 있어서 그들은 직접 환자를 돌보기보다는 중환자실, 수술실, 중앙공급실 등에서 근무하며 의료용품 정리 수납과 뒷마무리를 해주었다. 그런 까닭에 내가 처음 강의할 때 나를 돌이켜보면 그들과 눈높이가 다르게 그저 지식을 주입시키고 자격시험준비를 시키는 강사에 불과했다. 그러나 다시 돌아온 나는 그들의 인생길 한 시점에서 만나 그들에게 좋은 영향력을 주며 더 나은 내일을 설계하도록 힘을 주고 그들 내면을 바라보며 이해하고 사랑하려는 스승이 되고자했다.

다른 직업과 달리 의료직은 인간을 다룬다. 건강이란 인간의 영, 혼, 육을 모두 다루어야 할 뿐만 아니라 한 인간이 참여해야 하는 사회에서의 성공적 적응도 의미하기 때문에 간호조무 업무가 전부가 아닌 인간에 대한 깊은 이해가 필요하다. 나는 학생들이 먼저 자신을 사랑하고 자신이 소중한 존재라는 것을 알도록 강조했고 그 사랑과 존귀함 가지고 환자들을 대할 것을 가르쳤다. 선생님이자 동시에 학생이 되어 가르치며 배우는 일로 나는 행복해졌다. WLI는 단순히 지식의 전달이 아닌 가르치는 자의 인격과 경험과 능력과 기름부음 전수를 강조할 뿐만 아니라 현장 사역을 위한 실제적 교육과정으로 짜여있다. 강의를 들으러 갈 때마다 느끼는 것은 가르치는 자나 배우는 자들이 마치 중국 무협지에 나오는 무림의 고수들 같다. 어느 정도는 영성에 눈을 뜬 자들이 강의를 듣기 때문에 오고가는 대화가 심상치 않아 마음을 열고 눈을 크게 뜨고 주위를 유심히 살펴보면 도처에 스승이 널려있었다.

첫 등록 기간동안 '회복과 치유'라는 주제로 총 여섯 명이 강의를 했는데 '놀라운 치유사역'이라는 제목으로 강의한 프랜시스 사이저 박사님 강의가 나에게 충격적으로 다가왔다. 가톨릭 신부 출신의 사역자인 사이저 박사님은 이론뿐만 아니라 실제 치유사역, 예언, 축사의 모든 내용이 너무나 정확했다. 강의를 다 마친 사이저 박사님이 강의실 맨 앞줄에 앉았을 때 나는 마침 바로 그 뒷자리 두 번째 줄에 앉았기 때문에 자세한 과정을 지켜볼 수 있었다. 갑자기 사이저 박사님은 머리를 두 손으로 감싸더니 고개를 숙였는데 두, 세 번 정도 몸에 파동이 오는듯하다가 다시 단상으로 올라갔다. 성령님께서 강의가 다 끝난 게 아니고 두 가지 정도를 더 해야 한다고 말씀하신다며 말문을 연 사이저 박사는 신체적 질병을 거론하며 그들에게 치유사역을 했고, 다른 하나는 참석자중 과거 무속에 관련되었던 사람 숫자를 얘기하며 일어날 것을 요청하였다. 한 명이 부족하였고 그 사람이 앉아있는 쪽을 가리켰는데 놀랍게도 의자에서 떨어져 복도에 누워 버둥거리는 한 명을 마저 찾아냈다. 성령님이 역사하시는 장소에 오면 악령의 영향으로 고통당하는 사람에게 있던 악령이 드러나는데 바로 그런 경우로 사이저 박사님 축사 사역을 통해 그들은 모두 자유스러워졌다. 하나님께서는 나를 초자연적 역사의 자리로 인도하시기 시작했다.

새로운 소명

폭풍의 눈

성령님 능력 휘몰아칠 때 그 중심
신실하신 당신 계심으로 고요합니다
수많은 결박과 올무 풀어지며 당신의
육신과 심령 치유하심 임하실 때
주여 저 성령님 도구 삼으시어 타오르게 하소서
내 안 모든 것 내려놓고 거룩함의 영
내 영과 혼 골수 관통할 때
임하소서 나타내소서 증거하소서
사랑으로 사랑으로 사랑으로
표현 하소서 어루만지소서
내 심령 고요 하나이다 요동함 없나이다
오직 여호와의 능력만이 함께 하나이다
증거하소서 나타내소서
긍휼로 긍휼로 긍휼하심으로
여호와의 능력 어떠하심 만방에 선포하소서
영광 드러내소서 내 영혼 지성소 평안 하나이다
잔잔한 생명수 강물 고요하게 흐르나이다
원수의 목전에서 승리의 깃발 올리소서
영광의 나팔 부소서 상을 베푸소서
자비로 자비로 자비하심으로.

2005년 4월 3일, 하나님께서 이렇게 말씀하셨다. "내가 너를 한국의 캐더린 쿨만으로 들어 쓰리라. 그녀의 전기를 읽어보라. 내가 너를 사용하리라. 너는 어떤 대가도 치르겠느냐?" 그 대가라는 것이 나는 순종으로 여겨졌고 나는 아멘으로 화답했다. 나는 그녀의 책을 다 구해 읽어보았고 제이미 버킹햄이 지은 전기도 읽었다. 그녀가 아직 성령님께서 인격적인 분이시라는 개념이 없던 시대에 사람들에게 이를 소개했고 기독교 역사상 한 획을 그은 놀라운 여성 치유사역자임을 알게 되었다. 나는 1985년부터 신유의 은사를 구했으나 지금까지 아픈 자에게 하나님의 치유하시는 은혜가 임하시기를 간구드린 것 외는 치유 사역을 한 일은 없었다. 그러한 일은 특별한 은사를 가진 분들에게 가능하다 여겼기 때문이다. 그저 내 목에 대고 기도한 적뿐인 나는 하나님 말씀에 당황스러워 남편에게조차 말을 못하고 그냥 가슴에 품었다.

하지만 하나님 말씀은 내게 씨앗으로 심겨져 캐더린 쿨만 여사의 영향을 받았다고 알려진 베니 힌 목사님 책을 구해 읽기 시작했다. 어느 날 기독교 신문에서 일본에서 열리는 베니 힌 목사님 집회광고를 보았다. 나는 참석하고 싶은 마음이 불같이 일어 주일 오전 예배 후 점심 식사 끝나고 이런 뜻을 밝히자 젊은 목사님도 가고 싶다고 말했다. 감사하게도 경비를 마련해주신 분이 있어 우리 부부를 포함한 세 가정이 5월 13일부터 15일 까지 열리는 집회 참석을 위해 일본으로 떠났다. 특별한 의미를 가지고 참석한 예배에서 "이 예배는 내가 기뻐하는 예배라 내가 너를 초대하여 예배드리게 하고 맛보게 하기 위함이라"는 성령님의 세미한 음성을 들었다.

마침 나는 집회 운영자들 자리로 일반인들에게 통제하는 중앙에 위치한 첫째 줄과 둘째 줄 좌석이 예배 시작 직후 몇 좌석 비어있는 것을 보고 용기를 내어 남편과 함께 앉았는데 접이식 철제 의자 뒤에 'INVITE(초대석)'이라고 쓰여진 의자여서 놀라울 따름이었다. 일본에서 돌아온 후 베니 힌 목사님과 캐더린 쿨만 여사 집회 비디오 테입을 구해 보기 시작했지만 전에 성령님께서 하신 말씀이 확증으로 다가오는 것은 아니었다. "하나님 제가 그러한 사역을 할 수 있다는 표적으로 누군가 제게 캐더린 쿨만 여사 이름을 거론하게 해주시던지 아니면 제게 그러한 능력을 주시던지 해 주세요 아니면 WLI 집회시 강사분이 그분 이름을 세 번 거론하면 주신 말씀에 대해 확신이 서겠습니다." 나는 기드온처럼 작은 자 되어 표징을 구했다. 하지만 몇 번의 예언을 주제로 한 컨퍼런스나 다른 강의 중에 단 한번 어느 강사가 그 이름을 언급했을 뿐이었다.

그런데 2007년 7월 2일에서 5일까지 열렸던 제임스 말로니 박사님 강의 중에 그 일이 일어났다. 영국에서 온 분이었고 나도 전에 한 기도를 거의 잊고 있었다. 집회 마지막 날 말로니 박사님은 특별히 한국에서 이번 집회에 참석한 분들에게 자신의 모든 것을 전수하는 의식을 행하겠노라 선포했다. 무엇보다도 캐더린 쿨만의 겉옷을 전수하는 의식이라며 자신이 이 겉옷을 받게 된 배경을 설명하였다. 순간 나는 전에 성령님께서 하신 말씀과 내가 한 기도를 떠올렸다. 하나님께서 말씀하신 것은 일점 일획도 땅에 떨어지지 않고 이루어짐을 나는 알고 있다. 나의 현재를 바라보지 않고 하나님 말씀을 좇아갈 때 그 길로 인도하실 것임을 안다.

캐더린 쿨만 여사 전기를 보면 그의 전 생애를 통해 60대에 가장 활발하게 하나님께서 그녀를 사용하신 것을 알 수 있다. 하나님께서 계획하시면 누가 막으리요. 나는 그때부터 누가 아프거나 그렇지 않을 때라도 그 몸에 믿음으로 손을 대고 기도했다. 치유는 영과 혼과 몸의 치유가 다 이루어져야 한다. 그들이 하나님의 온전한 형상을 회복해야 한다. 캐더린 쿨만 여사는 온전히 성령님께 순복하여 사역을 한 분이다. 나는 단지 하나님께서 주신 말씀이 유산되지 않도록 마음에 품고 그 길을 한 걸음 한 걸음 걸어갈 뿐이다. 이렇게 나는 새로운 소명을 바라보게 되었다.

추수

하나님의 보좌

하나님의 보좌

보좌에 앉으신 이가 나의 영으로 충만한 자들에게 말씀하시기를
너희는 번성하라 충만하라 나의 증인들이 되어라
내가 너희에게 허락한 모든 것으로 나의 땅을 정복하라
나의 나라를 확장하라 너희가 가는 곳은 내가 허락한 곳이니
너희는 두려워 말고 담대하여 나의 뜻을 이루라
너희를 향해 품은 나의 뜻은 이러하니 세상의 것 말하지 말라
그것들 다 이방인들이 구하는 것이라
너희는 하늘에 속한 것들을 이야기하라
하늘에 속한 자들이 땅의 것들을 정복하리라 다스리리라
그것들은 이미 내가 너희에게 허락한 것이니라
하늘 보좌를 바라보라 여호와의 뜻을 앙망하라
그가 알려주리라 그가 설명해 주리라
너희를 이해시키리라 설득하리라.

하나님께서 계시로 자신을 나타내지 않으실 때 나는 무지의 상태가 된다. 때로는 내가 드리는 기도가 하나님을 이 세상으로 끌어 내리려는 시도일 때가 많다. 하지만 어느 날 나는 내가 하나님 보좌로 올라가야함을 알게 되었다. 부활하신 예수 그리스도께서 하나님 보좌 우편에 앉으셨을 때 성령님께서 지상에 내려오셨고 예수 그리스도를 주님으로 영접한 자들 안에 들어오셔서 역사하신다. 그러나 믿음의 눈으로 볼 때 나

는 하나님 보좌 우편에 앉으신 그리스도 안에 있다. 이러한 사실을 아는 자들이 부활의 예수 그리스도를 증거한다.

주님께서 십자가에 매달려 돌아가시면서 "다 이루었다"고 말씀하셨을 때 이미 나에게 하나님 보좌로 올라가는 길을 열어 놓으셨다. 기도를 통해 무시로 하나님 뜻을 알게 될 때 그 뜻이 이 땅에서 이루어지기를 간구할 수 있게 된다. 예수님조차도 이 땅 계실 때 하나님께서 보여주시고 들려주시는 일만 하셨고 자신의 뜻 행치 않으셨는데 나의 지금까지 행한 일과 기도 드린 모든 것이 내 뜻인 적 얼마나 많았던가? 나의 인생 길이 살아계시며 말씀하시는 하나님과 더불어 걷는 초자연적인 동행이며 하나님 음성 듣는 것 배우고 하나님 명령 순종할 수 있는 용기 키워나가는 과정이다.

내 눈 열려 더 많은 하늘 자원 볼 수 있다면 이미 "주는 그리스도시오. 살아계신 하나님의 아들이시니이다"라고 고백하는 자들에게 그곳 열 수 있는 열쇠가 주어졌다. 천국은 침노하는 자에게 열리는 곳임에도 불구하고 당당하게 하늘의 유업을 받을 자격 주어진 내가 그 사실을 모르고 얼마나 많은 세월을 구걸하며 살아왔던가? 말씀으로 세상 창조하신 그분 능력이 내 안에 있어 내가 이미 이 땅에서 묶고 푸는 권세 있음을 알았을 때 그 창조적 권세 있는 혀를 통하여 얼마나 많은 무익한 열매를 맺어왔던가를 떠올리면 한숨만 나온다. 내가 생각만 해도 다 이루어주셨던 주님 그러나 나는 그 생각 사로잡아 하나님 뜻에 맞추지 못함으로 인해 많은 시간을 헛되게 소모하였다.

그러나 이제 하나님 보좌 바라보았을 때 많은 초자연적 일들이 실제적임을 알게 되었다. 나의 영적 전쟁에 필요한 무기도 다 그 안에 있었으며 승리의 전략도 그곳에서 주어지며 각양각색의 모든 좋은 것들이 모두 다 그곳에 있었다. 비록 내가 이 땅 딛고 살아도 나의 영의 모습이 그곳에서 보좌 앞 엎드리며, 춤추며, 하나님 품안에 안길 수도 있다는 것을 믿음의 눈으로 바라보았다. 그 자리는 그 누구에게도 빼앗길 수 없는 자리이며 나의 소망이며 기쁨의 장소이다. 죽어서만 가는 천국이 무슨 의미가 있으리오. 성령님과 동행하는 삶이 하나님의 나라이며 이 땅에 하나님 나라 확장하는 일이 나의 일인 것이다.

열방을 품고

네가 어디 있느냐 (아담)

가는 곳마다 부르시며 찾으시는 그 음성 네가 어디 있느냐
여기 무화과 나뭇잎 엮어 나의 수치 가리고
당신 얼굴 피해 숨어있나이다
당신 명령 불순종하고 당신 두려워하여
반나절이면 말라비틀어질 무화과 나뭇잎 의지하여
벗은 몸 가리고 이렇게 숨어있나이다
서늘한 저녁 동산 함께 거닐며 말씀하신 그 인자하신 목소리
이제 그 음성 그 장소 제게는 무서워 떠는 악몽 되었습니다
다시는 돌이킬 수 없이 먹어버린 선악 알게 하는 나무 열매
당신은 창조주 나는 피조물 알게 하신 그 선 넘었습니다
어찌하여 당신 허락하신 풍요로움 즐기지 못하고
어찌하여 천사 흠모하는 그 다정하심 멀리한 채
어찌하여 부여하신 지혜 권세 권위 잃어버리고
당신 영광 앞 나갈 수 없는 죄인 되어
당신 빛으로 나아갈수록 저는 죽은 자입니다
쫓겨나 화염검 쥔 그룹들 경계 떠나
땀 흘려 애써 경작하고 고통 중 출산하며 땅에 속하여
에덴의 삶 흔적 아스라 합니다
나의 원죄 세대 거치며 악에 악 더하고
동생 죽인 가인에게 네 아우 어디 있느냐 물으실 때

얼굴 놋처럼 굳게 하고 분내는 아들 모습에
두 아들 모두 잃고 다시 못 보는 아비 되어
애통하는 심령으로 당신 지어 입히신 가죽 옷 바라보며
당신 사랑과 은혜 기억합니다
백 삼십 세에 다시 주신 셋의 아들 에노스 때
비로소 당신 이름 여호와 목 놓아 불렀습니다
창조주 당신은 나의 여호와이십니다.

'내게 구하라. 내가 열방을 유업으로 주리니. 네 소유가
땅끝까지 이르리라'(시편 2:8)

이 말씀이 내게 감동으로 임했고 그 직후인 2005년 7월쯤 나는 지구본을 샀다. 지구본을 사기전에 한 환상을 보았는데 경배자들의 손들이 지구를 하늘로 올리고 있었고 전투 자들이 불 말, 불 병거와 함께 그 길을 방해하는 악한 무리들과 싸우는 모습과 비둘기 형상의 성령께서 그 주위를 날고 계셨다. 그 환상의 의미가 내게 인간을 창조하신 하나님의 목적이 바로 지구를 온전히 회복시켜 하나님 발등상 위로 올려놓는 것임을 깨닫게 했다. 이제 기도의 범위를 넓혀 지구를 가슴에 품고 세계 도처에서 일어나는 일들에 대해 촉각을 곤두세운다.

'오직 성령이 너희에게 임하시면 너희가 권능을 받고 예루살렘과 온 유대와 사마리아 땅끝까지 이르러 내 증인이 되리라'(사도행전 1:8). 어느 날, 이 구절이 개인구원-가족구원-친족구원-이웃구원-나라구원-열방구원으로 뜻이 이해되었다. 누군가 날 위해 기도했고 하나님 은혜로 그리스도인이 된 나는 믿지 않는 집안에 시집와서 그들의 구원이 다 이루

어졌고, 친정 식구들도 예수님을 다 영접했을 뿐 아니라 이제 조카 중에도 목회자 가정이 있고, 나 또한 목회자 가정을 이루고 이웃들을 위해 사역하고 있다.

아침 시간에 드리는 정기적 기도 시간에 많은 이들의 구원을 위하여 기도한다. 가족, 친족, 교회, 지방회, 교단, 선교회, 영성소통 밴드, 직장, 친구, 사역자들, 정기적으로 만나는 이들, 이웃, 중보 기도자들, 기도 요청한 이들, 외국에 나가 있는 이들, 내게 은혜를 베풀었던 사람들뿐만 아니라 문득 생각나는 이들에게 바로 연락을 해서 근황을 물어본다. 하나님께서 나의 인생에 개입하셔서 점차 영역을 넓혀 가신다. 또한, 내 나라뿐만 아니라 이스라엘을 비롯하여 수많은 나라들을 마음에 품고 기도한다. 하나님 나라를 확장시키고 생명의 열매를 거두기 위해 더 많은 하나님 은혜가 요구되고 새로운 기름 부음이 요구된다.

나는 어제의 것을 항상 무로 돌리고 하나님 앞에 오늘의 것을 구하며 엎드린다. 그분은 내게 쓰다 남은 것을 주시지 않으며 항상 새롭고 신선하고 생명 있는 것을 주신다. 또 내게는 매일매일 필요한 것들을 이미 준비해 놓고 계신다는 믿음이 있다. 이러한 확신은 거저 생기는 것이 아니었다. 하나님께서 온전하신 것처럼 나도 온전하기를 원하시기 때문에 설익은 과일 먹을 수 없는 것처럼 삶의 전 과정을 통해 정금 같이 연단시키셔서 내 힘으로 살지 않게 하시고 하나님께서 공급하시는 힘으로 살게 하신 것이다. 출퇴근 시간에는 방언 기도와 방언 찬송을 한다. 매일 저녁 쓰는 영적 일기는 하나님 주시는 말씀을 먼저 받아 적고 내 기도로 마무리하는데 하나님께서 발등을 빛으로 비추어주셔서 다음날의 일을 미리 알려주시고 대비하게 하신다. 매일 아침 말씀 올리는 '영성소통밴드'는 2017년부터 시작했는데 매일 200명, 주일 아침은 250명 정도에게 글을 전송한다. 내 삶의 주된 임무는 예수님처럼 하나님나라 전하고 가르치고 증거 하는 것이다.

'네 장막터를 넓히며 네 처소의 휘장을 아끼지 말고 널리 펴되 너의 줄을 길게 하며 너의 말뚝을 견고히 할지어다 이는 네가 좌우로 퍼지며 네 자손은 열방을 얻으며 황폐한 성읍들을 사람 살 곳이 되게 할 것임이라'(이사야서 54:2~3).

아버지의 마음

고백

저의 모든 것 되신 제 사랑 주님
제 심장 당신 때문에 뛰며 당신 인하여 호흡하는 숨결
분리할 수 없는 샴쌍둥이 같은 사이
당신처럼 저 바라보시며 말씀하시는 이 없으시니
저의 모든 것 아시고 부드럽고 온유하시며
저를 위로하사 이끄시는 첩경
제가 무엇이 관대 그 승하신 당신의 저 향하신 사랑
이해되지 않지만 온전히 사모함으로 받는 그 사랑
저보다 더 저를 사랑하시는이여
제 안에서 생각한 일들 하나도 잊지 않으시고
그 약속 생애 통해 이루어 가시는군요
완벽하시고 너무도 멋지신 당신께서
저를 날마다 진리로 이끄시고 품으시는 그 사랑
저 통해 이루시고자 하시는 일 남김없이 이루실 내 주여
당신은 결코 낭비하지 않으시는 분 불꽃처럼 타올라
결코 꺼지지 않으며 영원토록 저 덮으실 그 사랑.

2005년 6월 24일, 물을 무서워하는 내가 바다속 깊은 곳을 잠수하면서
좋은 것들을 건져내는 환상을 보았고 뒤이어 성령님의 세미한 음성이
들렸다. "너를 깊은 계시의 바다로 인도할 것이다. 더 깊이 더 깊이 더

추수

깊이 다음에 높이 세우리라. 더 높이 더 높이 더 높이 너는 나의 영토를 확장하고 나의 왕국을 세우라. 강건하게 풍성하게 충만하게 하라" 이어서 "너를 장작불이 되게 하리라"는 말씀이 있었다. 1986년 "불쏘시개가 되라"고 말씀하시고 19년 지난 후의 일이다. 내가 깊은 계시의 바다에서 캐낸 가장 좋은 것은 바로 아버지의 마음이었다. 지금까지 하나님의 손만 바라보고 기도한 적이 얼마나 많았던가! 아버지의 마음을 헤아리기보다는 받기를 원했던 나의 욕심의 시간들. 비록 그 목적이 하나님 나라의 확장이라는 명분은 있었지만 하나님께서는 먼저 내가 당신의 마음을 아시기를 원하셨다. 내가 구해야 하는 것은 주시는 은사가 아니라 하나님 자신이셨다.

아버지의 마음은 돌아오지 않는 자녀들을 향하신 깨어지고 상한 마음이셨다. 그 마음 알기 원하시기 때문에 나의 모든 환경이 감사의 제사가 될 뿐이다. 온전한 하나님 형상을 파괴하는 사단에 대한 분노가 아버지의 마음이시다. 하나님의 마음은 내가 알아야 할 모든 것들을 내게 숨기시지 않는다. 말씀 가운데 하신 그 어떤 약속도 거절하지 않으신다. 내가 당신 자녀로 마땅히 누려야하는 것들 거두지 않으신다. 나의 영원한 유업을 이루는데 필요한 축복의 문들을 절대로 닫지 않으신다. 내 삶의 남은 기간에 필요한 매일 매일의 것들을 이미 준비해 놓으셨다. 내가 아버지 사랑의 넓이와 길이 높이를 알기 원하신다.

에덴에서 깨어진 관계를 회복하기 위해 돌아오라고 부르시며 기다리시는 사랑이다. 얼마나 오랜 시간 왜곡되고 오해되어진 사랑인가? 나를 고아와 같이 버려두지 않으시고 나의 눈물 씻기시는 아버지의 사랑이 오늘 나로 숨 쉬고 웃게 한다. 그 사랑이 나로 하여금 다른 이들에게 베푸는 사랑의 원천이다. 받지 못한 사랑을 어떻게 줄 수 있겠는가? 그 사랑이 나를 성숙하게 하며 하나님이 사랑하시는 것을 나도 사랑하게 하신다. 그 사랑이 나로 하나님 음성에 귀 기울이게 하며 순복하게 한다.

'너의 하나님 여호와가 너의 가운데 계시니 그는 구원을 베푸실 전능자이시라. 그가 너로 말미암아 즐거이 부르며 기뻐하시리라 하리라'(스바냐서 3:17).

전환점

제자들 자리다툼

하나님 아버지 당신 존재 기뻐하기보다
주시는 선물 더 기대하며 삽니다
육체 어연 백발 되어 가는데
아버지께 드리기보다는 아직도
주시라고 힘주어 간구합니다
제게 십자가 짐 나눠지라 하신 주님
나눠주기는커녕 매일매일 주님 걸어가시는
골고다 언덕길 제 짐 얹어드립니다
그 짐 아버지 마음 깊숙이 있는
열려 공유함이라 하셨는데 아직도
저는 심장 고동 주님과 같이 뛰지 못하고
그날 제자들처럼 주님 일 하는듯하지만
저 드러내기 위한 힘겨루기하고 있습니다
주님 마음 어떠하셨는지요
사랑하는 제자 주님 품 안겨 주님 심장
귀대고 있지만 십자가 죽음 말씀하시는
자리에서조차 세상 야망가지고
주님 좌우편 앉기 탐하였습니다
돈궤 맡은 제자 돈 때문에 주님 팔았습니다
절대 배신하지 않으리라 자신하던 제자

한두 번도 아닌 세 번이나 주님 부인 했습니다
내일이면 주님 잡히심에도 불구하고
주님 기도 요청에도 한 시도 깨어있지 못 했습니다
주님 잡히시던 순간 다 도망친 제자들
심지어 베 홑이불 버리고 알몸으로 도망쳤습니다
그러나 주님 그들 어떠함 바라보지 않으시고
다 이루었다 말씀하셨습니다
주님 끝까지 인내하시며 신뢰하셨습니다
그 자비하심 제가 유일하게 기댈 사랑입니다.

인생의 모든 만남과 사건은 하나님 섭리 안에서 이루어진다. 여기에 우연은 없으며 하나님은 우리 자아를 막대기와 채찍을 통해 깨뜨리신다. 2005년 2월 6일 성령님께서 말씀을 주셨다. "내가 너와 더불어 행하리라 너는 나의 사랑스런 신부라 내가 네게 기름 부으리라 나로 인하여 어떤 모욕과 멸시 감수하겠느냐?" 나는 "주님 뜻대로 하옵소서"라고 대답했지만, 그 말씀이 앞으로 다가올 어떤 사건을 의미하는지 알게 된 것은 그로부터 몇 달 후였다.

아직 잔금을 받지 못한 전주인은 같은 울타리 내 다른 사람 소유 집에 살고 있었다. 사람 마음이 급한 불 끄고 나면 달라지기에 간간이 들려오는 소문이 경매 직전에 도와주었음에도 땅 판 것을 후회하니 조금 더 가지고 있으면 더 받을 수 있었다는 원망의 소리였다. 아카시아꽃 필 무렵이면 낚시터에 사람들이 몰려오는데 방갈로에서 잠자며 술도 마시는지라 교회 소유된 곳곳을 기도로 정결하게 한 후 출입구를 줄로 막아놓았다. 그곳에 거주하는 우리는 건물들 구석구석 청소하고 6,000평 풀을 관리하는 일이 힘들었지만 미래를 바라보며 즐거운 마음으로 관리했다. 어느 날 오전, 땅끝 자락 마방에 있는 말을 보러 우리 부부는 나갔는데 저 멀리 자신이 거주하는 타인 소유 땅을 예초기로 풀을 깎는 전주인 모습이 보였다. 잠시 다른 일을 하고 있는데 전주인이 예초기를 집어 던지고 갑자기 고함을 지르며 가까이 다가왔다. 무슨 일인가 하여 남편이 다가가니 다짜고짜 멱살을 잡고 잔금 내놓으라 흔드는 통에 전에 어느 집사님이 남편에게 선물한 십자가 모양 못난이 진주 목걸이가 떨어져나가 땅에 흩뿌려졌다.

황망한 꼴을 당한 남편은 계속 엉겨 붙다가 넘어진 전주인을 못 움직이도록 제압했다. 우리는 교회와 연결만 해주었을 뿐 매매 문제에 개입한 적도 없고 오히려 우리가 전주인에게 미리 준 일 년분 세 중 일부를 잔금 치를 때 계산하려고 아직 돌려받지 않은 상황이었다. 돈 받을 사람은 우리라고 남편이 말하자 할 말이 없어진 전주인은 씩씩거리며 떠났다. 술기운도 남아있는 데다가 분이 가시지 않은 전주인은 지구대에 구타당했다고 신고를 해서 얼마 후 경찰들이 조사를 나왔다. 집안에서 나물을 다듬고 있던 나는 목구멍까지 차오르는 화를 참기 어려워 밖으로 나가 나와 동갑이던 집주인에게 참으로 은혜도 모르는 사람이라고 책망을 했다. 조서를 꾸미기 위해 약속 시간에 지구대에 모였는데 신고당사자인 집주인에게 먼저 조서 받으려 하자 그제야 제정신이 들었는지 좋으신 분한테 잘못했다며 나이 오십 넘어 부끄럽다며 신고한 것을 취하한다고 하였다. 지구대에서 나와 차도 없이 터벅터벅 걸어가는 전주인에게 차문을 열고 태워준다고 하니 염치가 없는지 손사래를 쳤다. 나중에 교회에서 잔금을 다 치르고도 계속 옆 건물 살면서 나하고 마주치면 고개를 옆으로 돌리고 지나다녔다. 차도 남에게 넘어간다고 해서 우리 명의도 빌려주고 위기의 순간에 도와주었음에도 어떻게 그런 행동을 하는지 이해하기가 어려웠다.

얼마 지난 후 부동산이라며 땅과 건물을 내놓으셨냐는 문의 전화를 받았다. 나는 그런 적 없다며 아마 곁에 붙은 땅일 것이라 대답했는데 아니라며 수양관이라고 하면서 누군가 부동산에 다녀갔다고 했다. 확인을 위해 젊은 목사님에게 전화를 하니 그렇지 않아도 의논드리려고 했다며 주일에 말씀드린다 하여 전화를 끊고 잠시 생각을 가다듬었다. 그동안 함께하기에 여러 가지로 석연찮게 여겨지는 부분이 있어 지켜보는 중인 데다가 사람이란 아무리 계획을 세워도 못 지키는 경우가 있을 수 있고 어떤 사정이든지 미리 말을 하고 부동산에 내놓는 것이 도리라고 생각한 나는 전화를 다시 걸어 일관성 없는 사람과는 한 배를 탈 수 없다고 전했고 마음을 정했다. 2005년 7월 1일, 성령님께서 "전환점"이라고 말씀하셨고 우리는 옮겨갈 곳을 정하기 위해 40일 기도에 들어갔다.

그 사이 교회 집회가 수양관에서 2박 3일 있었고 그중 일부가 집회 마치고 우리 사택을 방문해 여러 가지 교회 실상을 이야기 하는데 개입하기도 곤란해 간단하게 권면하는 기도로 마쳤다. 젊은 목사는 그 일을 명분 삼아 어느 날 집사 몇 명을 보내 우리에게 수양관에서 나가 줄 것을 요구했고, 우리는 예상했던 일이라 알았다고 간단하게 대답해 주었다. 7월 25일 시작된 WLI 컨퍼런스 수업 중 얼굴과 볼에 두드러기 발진과 채찍 자국 같은 것이 나타났다 사라졌다 하며 괴롭게 하였다. 며칠째 하나님은 내가 젊은 목사님에게 가진 분노를 다루시기 원하셨는데 내가 불

순종하니 그러한 표식으로 계속 재촉하시는 것이었다. 항복한 나는 젊은 목사님에게 전화를 해서 그동안 여러 가지로 고마웠다 말하고 집은 기도 끝나는 대로 움직인다고 말해주었다.

마음 같아서는 아무데나 가고 싶었지만 40일 기도를 마쳤는데도 응답이 없으셔서 다시 40일 기도에 들어갔다. 드디어 10월 24일, "내가 너를 넓은 곳으로 인도하리라 너에게 꼭 적합한 곳으로 인도하리라"는 응답을 주셨다. 그동안 전국을 다니면서 목회지를 찾았지만 아직은 밀양을 떠나는 것이 하나님 뜻은 아닌 듯 응답받은 날 간호학원에 출근하여 학원 앞 정보지를 하나 꺼내 읽어보니 삼랑진에 세놓은 공장이 눈에 들어왔다. 퇴근 후 남편과 함께 주소지를 찾아갔는데 400평 대지에 아래층은 75평, 이층 주택은 45평, 측면에 25평 창고가 있고 깨끗하게 수리되어 살기 편하고 넉넉하며 마방으로 사용할 창고까지 있는 기도대로 우리에게 꼭 적합한 곳이었다. 주인을 찾아 계약하고 모든 동물과 짐이 충분히 들어가는 그곳으로 11월에 이주했다.

조금 약한 기도

약속

제가 당신 알기 전 심지어 태어나기도 전
이미 수많은 약속 주신 당신
전지전능 불변하신 분
진리로 주신 상상할 수 없는 그 약속
일점일획 변개치 않으리라 스스로 선언하신 분
귀하고 보배로운 약속의 말씀
미리 길 보여주시고 걷게 하시며
심지어 허락하신 행할 수 있는 믿음과 힘
그 약속 속박 아닌 하나하나
세심한 보호와 인도 사랑하심
환희와 기쁨속에 소망으로
신뢰하며 내딛는 걸음걸음
당신 약속하시고 동행하시는 인생길
두려움 없이 의지하며 기대함으로 나아감은
오직 당신 향한 내 믿음.

밀양에 정착한지 11년째, 여러 가지로 많은 상황을 겪어오던 남편은 항상 이사할 기회가 생길 때마다 고향인 서울로 올라가고 싶어 했다. 서울 토박이인 남편은 기차가 한강 다리를 지나갈 때면 가슴이 두근거린다고도 했다. 이번에도 역시 교회매매 사이트를 찾아보고 많은 곳을 둘러보았다. 돌아다니며 내가 느낀 것은 나는 내가 가장 처량하다 생각했는데 곳곳의 목사님들 사연도 제각각으로 힘들어하시는 분들이 많아 헤어질 때는 우리가 오히려 위로와 격려를 해주고 떠났다.

강남에 있는 한 교회는 미국에서 나온 여목사님이 한동안 목회를 하다가 접고 다시 미국으로 들어가려고 내놓은 교회인데 그곳에 들르니 여목사님은 미국에 가시고 그동안 아프리카에서 선교 사역하다 돌아와서 아직 거주지가 정해지지 않았다는 목사님 부부가 거처하고 있어 잠시 얘기를 나눴다. 영등포에 있는 재개발 예정 아파트가 전부 비어져 있는 상태인데 헐리기 전까지 주인에게 월세를 주면 당분간 지낼 수 있다기에 첫 달 분을 우리가 송금해 주기로 했다. 얘기를 나누다 보니 국군광주병원에 장남이 입원해 있는데 아직 형편이 안 되어 면회를 못 가보았다고도 했다.

삼랑진으로 이사하면서 그 목사님 부부에게 연락을 했다. 우리와 동행하여 광주에 있는 아드님에게 면회도 다녀오시고 이사할 때 좀 도와주시라 부탁드려 이사하면서 그분들 도움을 받았다. 남편이 사회복지 석사과정 하는 동안에는 주중에 두 번 서울을 가야했기에 당분간 목회를 쉬고 싶었는데 같은 지방회 목사님 소개로 목회자가 없는 교회 소개를 받았다. 수원에 사시는 목사님이 광주에 있는 교회 정리하고 밀양에 교회를 개척했는데 또 수원 영통에 교회를 하나 더 세우게 되어 양쪽을 다니며 목회하게 되었고 밀양에도 교인들이 있어 쉽게 정리가 안 되는 상황이었다. 그 목사님은 밀양에 있는 교회를 남편은 영통에 있는 교회를 마음에 들어 했지만 서로의 집이 반대로 있기 때문에 격주로 예배를 인도하기로 했다. 남편이 서울에 오면 교회 다니겠노라 했던 친구 부부가 영통교회 예배에 참석했다. 그 친구를 위해 오래 기도해 왔던 남편은 무척 기뻐했다. 그 친구분은 남편에게 기도를 조금만 더 세게 했으면 서울까지 왔을 텐데 조금 약해서 수원까지 밖에 못 왔다고 말했다고 한다.

사회복지 수업과 병행하며 남편은 자비량으로 밀양과 영통을 오가며 예배를 인도했고 나는 밀양에 있는 교회를 다니면서 성경공부를 인도했다. 밀양교회를 성장시키기 위해서는 밀양지역 교회연합회에 가입해서 전도한 사람들을 정착시키도록 수원목사님에게 권유를 했는데 밀양교회를 정리하려고 마음이 기울어져 후임자를 구하려고 물색하는 듯 했고 우리가 인수하기 원했지만 ·우리는 뜻이 없었고 마침 영남병원에서 원목으로 초청해 2006년 6월부터 영남병원선교회 원목으로 목회를 시작했다.

주님의 보혈

생기야 불어오라

여호와의 생기야 사방팔방 십육 방에서 불어오라
우리 소유 관계 영역 사역 비전 계획 일정에 불어오라
생기야 사방팔방 십 육방에서 하나님의 모든 것 불어오라
모든 죽음 살리는 생기야 불어오라
모든 소망 싣고 생기야 불어오라
모든 좌절 낙담 살리는 생기야 불어오라
모든 연약함 세우는 생기야 불어오라
모든 아픔 씻기는 생기야 불어오라
모든 중독 해방하는 생기야 불어오라
모든 더러운 것 씻기는 생기야 불어오라
모든 죄악 씻기는 생기야 불어오라
모든 속박 풀어주는 생기야 불어오라
모든 자존감 세워주는 생기야 불어오라
모든 가난 벗어나 풍요 싣고 생기야 불어오라
여호와 기적으로 생기야 불어오라
성령님 바람으로 생기야 불어오라
성령님 열매와 권능으로 생기야 불어오라
여호와 사랑과 자비 긍휼과 인애로 생기야 불어오라.

"내가 너희를 반드시 지키고 보호하리라 나의 영역에서
살게 하리라 나의 보혈로 덮은 사랑하는 자녀, 신부,
친구들에게 나의 바람 일으키게 하리라."

2006년 2월 7일부터 2월 9일까지 3일에 걸쳐 본 환상은 독특한 것이었다. 첫날의 환상은 내가 하나님 아버지 품에 안겨있었고 내 귀에 들리는 아버지 심장 박동 소리와 내 심장에서 들리는 박동 소리가 엇박자를 내면서 들리고 있었다. 나는 그 파동이 다름에 너무나도 가슴이 아팠고 눈물을 하염없이 흘리며 울었다. 주님 역시 이 땅 계실 때 가족들 비롯하여 제자들 포함한 그 누구와도 심장 파동이 맞지 않는 아픔 있으셨고 외로우셨던 그 느낌이 나에게 그대로 전해졌던 것이다. 하나님과 우리의 관점, 느낌은 정말 말 그대로 하늘과 땅 차이다.

둘째 날의 환상은 정상 향해 오르는 사람들 모습이 보였는데 아름다운 오솔길 올라가는 사람들은 눈을 끄는 작은 꽃들 바라보며 아름다운 경치 감상하며 가던 길 멈추고 시간을 끌었고, 아주 가파르고 험난한 산길 오르는 사람들은 한눈 팔지 않고 안간힘 쓰며 정상 향해 오르는데 최선을 다하고 있었다. 나는 순간 이것이 바로 하나님께서 우리에게 고난을 주시는 이유라 생각했다. 조금만 발 헛딛고 한눈 팔면 추락할 수밖에 없는 절박한 순간에는 우리가 하나님만 온전히 의지하지만 조금이라도 평탄하고 우리 마음과 시선 끄는 것들 있으면 우리 그 유혹에 정상 오르는 길 멈추고 말기 때문이다. 하나님께서는 우리가 신앙 최고봉에 오르기 원하시지만 우리는 육신의 정욕, 안목의 정욕, 이생의 자랑에 머무르

추수

기 원하고 다만 위기의 순간 닥치면 마치 119구급차 부르는 심정으로 하나님을 찾는 것이다.

마지막 날은 내 몸에 있는 피가 다 빠져나가고 예수님 보혈로 교환 수혈되었고 그제야 주님 맥박과 나의 맥박이 같이 뛰었다. 나는 내가 주님을 찾고 구한 줄 알았는데 주님은 지금까지 나를 기다리셨으며 돌아온 탕자가 바로 나임을 알게 되었다. 주님께서 목자 없이 유리방황하는 무리들을 보시고 민망히 여기시던 그 긍휼하심이 보혈에 녹아져 나의 혈관을 타고 온몸에 흐를 때 나는 비로소 주님 심장으로 주님의 일 할 수 있게 되는 것이다. 주님과 연합한 나의 심장 박동이 바로 천국 박동이며, 이 박동만이 나의 모든 행위의 동기가 되어야 하고 나는 그 박동에 예민하게 반응하고 순종해야만 한다. 그 뒤로 나는 가끔 손목에 손가락 대고 맥박 감지하며 천국박동을 느껴본다. 내 심장을 통해 강하게 뿜어져 나오는 주님의 보혈은 나를 용서하시고, 하늘보좌로 인도하실 뿐만 아니라 보호하시고, 인도하시고, 구원하시고, 화목하게 하시며 죄 씻어 주시고 거룩하게 하시며, 하나님 임재하심과 그 승리 가운데 거하게 하신다.

주님의 신부들

신부들 합창

내가 등불에 기름 든 자들 열방에서 모아 노래하게 하리라
진정과 신령으로 내게 경배하며 자신들 삶 오롯이 내게
드린 자들 내가 그들 사랑하며 연합시키리라
놀라운 나의 비밀병기들 되게 하리라
그들은 각기 처소에서 연단 받아 무장되었으며
결코 변심하지 않으며 중심으로만 나 섬기며
오직 나의 때 보기만 앙망하는 자들이라
내가 나팔 부노라 다 들을지어다
아름답게 연결되게 하리라
나의 신부들 경배와 찬양 내 마음에 합하고 흡족하도다
모든 난관 딛고 일어선 자들 나의 깃발 들고 일어선 자들
나의 성호 찬양하며 온전히 산 제물로 드린 자들
내가 그들 부르며 연결시키고 있노라
팡파르 내가 나팔 부노라 모여라 내가 나팔 부노라
나의 신부들아 내가 너희를 소집하노라.

2005년 4월 20일, 퇴근하는 길에 차속에서 하나님께서 갑자기 말씀을
주셨다. "너는 내 딸이라, 내가 너를 행복하게 해주리라" 주님께서 "너
는 내 신부라, 내가 너를 아름답게 빛나게 하리라" 성령님께서 "너는 나
의 친구라, 내가 너와 함께 하리라" 그 세미한 음성들 듣는 순간 나는 하

나님께서 나를 사랑하사 예수님을 보내주셨으며, 예수님께서 나를 사랑하사 나를 위해 돌아가셨으며, 성령님은 나에게 하나님 계획을 알려주실 뿐 아니라 나를 사랑하사 예수님을 더욱 닮아가도록 세상 끝날까지 계속해서 도와주시는 분이신 것을 이해하게 되었다.

성경에 나타난 많은 개념 중 삼위일체만큼 인간 머리로 이해하기 어려운 것도 없다. 나는 나름대로 온전하지 않지만 어느 정도 이해하고는 있었다. 또 신학적으로 하나님 본질상 삼위 하나님은 영원 전부터 영원 후까지 동등하게 존재하시며, 자존하시는 영으로 피조된 영과 본질적 차이 있어 이는 오직 계시를 통해서만 알 수 있으며, 하나의 본질 공유하나 성부, 성자, 성령으로 구분된 세 개의 품성 가지신 분임을 알고 있다. 이를 존재론적 삼위일체로 구분하며 죄인 구원 사역 측면으로 하나님은 섭리와 예정 총괄하시는 계획자, 예수님은 이의 실현위해 직접 속죄 제물 되신 분, 성령님은 그리스도 대속역사 죄인들에게 직접 적용하시는 사역상의 삼위일체 개념을 확립하고 있다. 그러나 나는 차속에서의 경험적 사건으로 직접 쉽게 표현해주신 삼위일체 하나님을 또한 이해하게 되었다.

2005년 7월 1일, 하나님께서는 나의 사명을 이렇게 말씀하셨다. "나의 자녀들을 노아의 방주에 실어 구원시키고 에스더처럼 왕 앞에 나가게 하기 위해 단장시켜라" 나는 나의 인생 통해 만나게 될 많은 사람들에게 이러한 일 하는 것이 나의 부르심의 목적으로 알게 되었다. 2006년 4월 14일 묵상 중 다음 구절들이 심령에 감동으로 다가왔다.

주님의 신부들

"내가 너를 축복하리라 사랑하는 자여! 네 영혼이 잘됨같이 네가 범사에 잘되고 강건하기를 내가 간구하노라. 내가 길을 열어 주리라. 보라! 네 앞에 열린 문 두었으니 아무도 아무도 아무도 그 길 근접지 못할 것이며, 거치는 자들 없게 하리라. 보라! 네 위에 여호와의 은혜가 네 뒤에 여호와의 영광 함께하리니 그들이 벌거벗기 운 것처럼 되리라. 드러나지 않은 것 없으며 감추어진 것 없게 하리라. 사랑하는 자여! 내가 너의 나에 대한 사랑을 아노니 내가 기뻐하노라. 사모의 마음 나를 삼키며 경배의 영 너와 함께하는 도다. 네가 여호와를 생각할 때 마음이 움직이며 그 심령 상하는 도다. 사람들의 나 여호와에 대한 오해와 그 사랑의 깊이와 넓이와 높이와 길이 알지 못함에 심령이 상하는 도다. 주님의 신부들아 돌아올지어다. 깨달아 알지어다. 그 사랑의 그 사랑의 그 사랑의 향기에 취하려므나. 허무한 것에, 썩어질 것에 마음 두는 자들아! 너희는 힘써 여호와를 알지어다. 나를 기뻐하는 것이 너희의 힘이니라."

이처럼 한 번 주어진 메시지는 지속적으로 보충 첨가되어 나를 계속 일깨우고 상기시켰다.

2007년 7월 5일에 또 말씀이 주어지기를 "너는 영, 혼, 육이 완전한 나의 신부를 준비시켜라"고 하심으로 우리가 예수님 영접하고 하나님 자녀 되었을 때 어떠한 잘못도 용서하시고 항상 돌이키기 원하시며 기다리시는 아버지시지만, 주님 신부되기 위해서는 점도, 흠도, 얼룩도 없는 순결한 신부가 되어야 함을 말씀하고 계셨다. 그 거룩하고 의로운 일에 나의 동역 요구하시고 계속해서 나의 주의를 환기시키고 계셨다.

남편의 암 진단

나의 기도

하나님 아버지 당신은 전능자 기묘자 모사시오 저를 사랑 하십니다.
제 작은 신음소리 귀 기울이시며 당신 날개 밑 은밀한 바위틈에 두시고
당신 옷자락으로 덮으십니다. 저 쉴만한 물가로 인도하시고 푸른 초장으로
인도하십니다. 인애와 긍휼과 자비로 함께하소서. 당신은 상한 갈대
꺾지 않으시고 꺼져가는 심지 끄지 않으십니다. 당신은 믿는 자에게 귀신
쫓아내고, 새 방언 말하며, 무슨 독 마실지라도 해입지 않고, 병든 자에게
손 얹은즉 낫게 하시는 분이십니다. 당신은 기적과 이사와 표적의 하나님이십니
다. 당신 안에서 평강으로 인도하소서. 오로지 신뢰함으로 당신 앞 나아갑니다.
예수님 이름으로 기도드립니다, 아멘.

영남병원선교회에는 남편을 포함해 또 다른 목사님이 한 분 더 계셨다.
영남병원, 실버병원, 안인병원 예배와 정신과는 따로 예배드리고, 외부
봉사자들도 참여하여 다양한 프로그램을 진행했다. 사역 시작한지 두
달 되어가는 어느 날 남편은 약간의 가슴 통증을 호소했다. 나는 남편
과 함께 국군간호사관학교 후배가 건강검진실 팀장으로 있는 경산 소재
의 경상병원을 방문해 모든 검사를 했다. 결과가 나오는 2006년 8월 1
일, 나는 미리 후배에게 전화를 해 검진 결과를 물었다. 후배는 잠시 머
뭇거리다가 위에서 악성 종양이 발견되었다고 말하며 해당 과에서 따
로 연락할 거라고 말해주었다.

그 순간, 나는 갑자기 멍한 기분이 들면서 현실감각이 들지 않았다. 이런 기분은 국군간호사관학교 시절 병원 정문에서 갑작스런 친정아버님의 부고 전보를 받아들었을 때와 동일한 느낌이었다. 퇴근하여 집에 돌아오니 병원에서 남편에게 검진 결과 보러오라는 연락이 왔다 전해주었는데 따로 특별한 이야기는 하지 않은 것 같았다. 오전 근무만 하는 나는 오후에 40분쯤 걸리는 경상병원을 내원하기 위해 차로 출발했다. 차속에서 별다른 대화하지 않고 차창 밖을 바라보는데 머릿속이 복잡했다. 몇 기정도 되었을까? 혹시 다른 곳으로 전이는 안 되었나? 앞으로 병원비는 어느 정도 들까? 보험 혜택이 되나 등등.

병원 해당 과에 가니 보호자를 먼저 찾았다. 나는 의사 선생님에게 내가 간호사임을 밝히고 이미 결과도 알고 있다고 말했다. 남편에게 결과를 그대로 알리기 원하느냐고 내 의사를 물어와 나는 잠시 호흡을 멈추었다가 그렇게 해주시라고 대답했다. 나는 몇 기인지 알 수 있느냐 물었고 의사 선생님은 아직은 정확히 알 수 없고 수술 후 조직 검사로 정확한 결과가 나오면 그 결과에 따라 항암치료 여부가 결정된다하며 빨리 수술하시는 쪽으로 진행하라 말해주었다. 나는 그 말을 뒤로하고 대기실로 나와 기다리는 남편에게 진료실로 들어가 보시라고 전했다. 본인에게 무슨 예감이 있었는지 알 수 없지만 진료실에서 나온 남편은 약간 당황한 듯 보였지만 아무 말 하지 않았다.

오래전 들었던 종합보험과 일반보험을 남편에게 임플란트 치아를 해주기 위해 둘 다 해약하고 새로 가입한 보험이 일 년이 채 안 되었지만 일단 신청해 보려고 병원 간 김에 서류를 신청하고 기다리면서 서울 삼성병원에서 검사 한 번 더 해보고 수술하더라도 그곳에서 해야지 하는 마음으로 아는 분에게 진료 예약을 부탁했다. 말할 때부터 눈물이 나며 가슴이 아려왔지만, 남편에게 내색하지 않으려고 안 보이는 곳에서 눈물을 닦았다.

집에 돌아와 제일 마음에 부담으로 다가오는 것은 병원비 문제였다. 다음 날 삼성병원 진료 예약 부탁했던 분에게 8월 14일로 예약되었다는 연락이 왔고 전이 여부 알아보기 위해 PET검사가 확실시 된다고 했다. 전에 그 검사했던 분에게 연락해 가격을 물으니 상당히 고가인지라 전화 끊고 나서 그것도 해볼 처지 안 되는 사정에 통곡이 나왔다. 삼성병원 진료까지는 2주가 남아 하나님께서 인도해 주시기를 기도하며 독일에서 많은 경험을 쌓고 돌아온 목사님이자 의사이신 박관 내과를 방문하기 위해 이틀 후 서울에 올라가 몇 가지 검사와 상담을 했다. 신앙인의 경우 이럴 때 두 가지 생각이 드는데 수술할 것인가? 아니면 하나님께 기도드리며 맡길 것인가? 하는 선택이다.

다시 찍은 내시경 사진을 보며 원장님은 1기 초기 정도라 너무 다행이고 전이는 되지 않은 것 같다며 빨리 수술하시면 좋은 결과를 볼 것이라 말해주어 일단 마음에 안심을 하고 내친김에 전인치유사역 하시는 그분에게 안수기도도 받고 내려왔다. 그 뒤 서울삼성병원에서 3회 정도 더 검사한 후 앞당겨 저명한 외과 선생님께 8월 31일에 수술을 받고 수술 후 결과도 좋아 항암치료도 안 하고 일주일 정도 입원 후 퇴원하였다. 암에 걸린 환자는 중증 환자로 등록되어 의료보험 적용 금액은 10%만 반영되었고 남편 친구분들 포함 많은 분들이 도와주셔서 병원비도

다 해결했고 그 뒤 정기검진에도 결과가 좋아 하나님과 천사표 지인들에게 감사드릴 뿐이다. 남편은 임플란트 때문에 보험을 중간에 해지한 것을 아쉬워했는데 나는 비싼 이 심었으니 식사 잘하시고 오래 사시라고 말해드렸다.

이걸로 끝난 것은 아니었으니 4년 뒤 2010년 심근경색으로 양산부산대학병원에서 스텐트 삽입 시술을 2개 했고, 10년 뒤 2020년에는 뇌출혈과 뇌경색으로 양산부산대학병원에서 입원 치료받았다. 감사하게도 모두 조기 발견으로 후유증 없이 외래 진료 다니며 관리 중이다. 수술실에 들어간 가족을 기다리는 사람 심정은 누구라 할 것 없이 착잡하고 초조하다. 그러나 수술이라도 할 수 있음은 감사하고 점점 의료 기술이 좋아져 많은 사람들이 혜택을 보는 것도 더욱 감사하다. 암이 너무 전이되어 수술도 불가능한 분들 소망은 수술이라도 받아보는 것이 소망이라 서울삼성병원에 입원하고도 혹시나 해서 서울대학병원과 원자력 병원에 외진가는 경우도 보았다. 최근 도입된 중입자치료기도 비용 절감이 이루어져 많은 이들이 혜택 입기를 소망한다.

5막 누림

산제사

성찬식

우리 상에 차린 음식 먹을 때 성찬식 되게 하라
몸 위해 먹는 자리 참석한 이들 함께 나누는
모든 이야기 생각 사로잡아 그리스도께 복종하게 하라
우리 서로 권하는 음식 한 잔의 물 우리 안 좌정하신
주님 피와 살 되는 영의 양식되게 하라
우리 서로 고백하며 우슬초로 말갛게 씻겨지고
서로 발 닦으므로 섬김의 본 따르라
우리 함께하는 식사는 주님의 성전 더불어 먹고 마시며
마리아처럼 귀 기울여 들을 때
옥합 깨뜨려 주님 머리 부은 여인 순전한 나드향
우리 함께한 이 성찬에 머물고
복음 전해지는 땅끝까지 전해지리니.

2006년 8월 1일부터 나흘간 참석한 WLI 컨퍼런스 시간 기름 부음 사역 후 카펫타임에 나는 하나의 환상을 보았다. 기독교인이 아니더라도 많은 이들이 알고 있는 아브라함이 이삭을 산 제물로 드리는 장면이 성경 창세기 22장에 나와 있는데 나의 환상에는 내가 바위 위에 산 제물이 되어 누워있고 고개 돌려 옆을 보니 숫양 한 마리가보였다. "내가 너를 네 가정의 산 제물 되게 하였노라"라는 성령님의 음성이 들렸고 순간 나는 "아하! 연단이 끝났군요"라고 말하고 싶어졌다. 죽은 자는 세상 어떤 일도 겪지 않아도 되기 때문이었다. 살다보면 하나님 선물이 무거운 짐으로 여겨질 때가 얼마나 많은가? 이처럼 산 제물 된 삶이란 것은 바로 나를 위해 산 제물 되셨던 예수님 삶 내 생애 통해 살아내는 것으로 예수님께서 땅의 삶에서 하셨던 모든 일들 그대로 내가 살아가는 것이 내 인생 목적으로 깨달아졌다.

그해 11월 5일, 나는 같은 장소에 있는 환상을 다시 보게 되었다. 내가 제단 위에 두 동강 나 누워있었고 그 사이로 벼락이 내리며 여호와 임재 하심이 제물 된 나의 가운데 사이로 통과하시는 장면이었다. 나의 개인적 체험이지만 신앙 여정에 초자연적 현상이 너무나 현실적으로 다가왔다. 세상 사람 그 누구 아니 가족까지도 나를 인정하지 않을지라도 하나님께서 나를 산 제물로 받으셨음이 얼마나 내게는 고무적인지 모른다. 그 많은 시간들 사람 바라보지 않고, 인정받으려 하지 않고 하나님만 바라보는 훈련을 얼마나 많이 받았던가? 삶에서 만난 수많은 사람들 통해서 믿는 대상은 오로지 하나님뿐이며 사람은 단지 사랑하고 이해하는 존재라는 것을 얼마나 실감나게 배웠던가?

나의 산 제물 됨 환상은 2007년 8월 또 한 번 보게 되었다. 열방의 많은 다양한 인종 가슴에 끌어안고 산고의 고통 겪으며 기도할 때 내 몸이 낱낱이 각 뜨여 하나님 앞에 산 제물로 드려지는 모습이었다. 그 모습 바라보며 영혼의 구원은 단지 입으로 전하는 것 아닌 내가 온전히 하나님 앞에 낱낱이 찢겨진 산 제물 되어야 함을 깨닫는 귀한 체험이었다.

'그러므로 형제들아 내가 하나님의 모든 자비하심으로 너희를 권하노니 너희 몸을 하나님이 기뻐하시는 산 제물로 드리라 이는 너희가 드릴 영적 예배니라'

(로마서12:1)

참다운 자유

자유

존재의 의미와 목적 찾는 사유의 깊이 높이 넓이 길이
맴돌아 다람쥐 쳇바퀴 탈출구 없는 미로 속
정형화된 일상 군중 속 등 떠밀린 흐름의 줄기 만남과 공간
공감과 공유 재촉하고 손익계산 지루함 속
귓등으로 사라진 목소리 잔상들
마음 열고 모든 것 나눔 대신 한 자락 깔리는 여운
완전한 절망 나락 비추는 어스름 빛 속 보이는
내 영혼 향한 부르심 터널 끝 있음에 가진 소망
전혀 다른 차원의 신세계 향하는 나의 거듭남
내 안 담긴 위대한 비밀 예수 그리스도 하나 된 연합으로
확장되는 새 생명 이제야 조율된 삶
하늘과 땅 사이 서서 그 누구도 빼앗지 못하는
진정한 나 되어 누리는 순종의 바다 자유의 항해.

2004년 12월 28일, "내가 너를 모든 올무에서 풀어주리라"하시는 성령
님의 음성을 들은 후, 2005년 2월 3일 "내가 너를 통하여 모든 올무를
풀어 주리라"는 두 번째 음성과 2006년 3월에는 머리를 묶은 밴드와 온
몸을 결박하고 있던 끈들이 풀어지는 환상을 보았다. 같은 해 8월과
2007년 2월 "내가 너를 자유하게 하리리"는 말씀을 주셨고, 2007년 5월
30일 "너의 지경에서 가시와 엉겅퀴를 제거하리라"하셨다. 이런 일련의

자유에 관한 말씀들 통해 나는 하나님께서 주시는 자유는 내가 하나님의 세계 살면서 하나님께서 내게 요구하시는 존재되기 위한 초자연적 자유를 의미함을 깨달았다. 내가 율법 바라보았을 때 구속과 속박을 느꼈지만, 진리와 자유 안에서 자유로워짐으로 참 자유를 느낄 수 있었다.

사단에게 속한 이 세상 안 모든 행위는 속박이자 괴로움과 고통이지만 내가 그리스도 안에서 자유스러울 때 남들 자유롭게 할 수 있으며, 이러한 자유는 예수님이 그리스도요 하나님 아들이심을 아는 진리 안에서 갖게 된다. 이 세상 안에서 겪는 모든 일들 중 천국에 없는 일들 거부하고 대적해야 한다. 그것들은 하나님께서 주신 것이 아니기 때문이다. 단지 내가 지금까지 겪은 모든 일들은 나와 다른 이들 유익하게 하시려는 목적으로, 모든 것들이 합력하여 선을 이루게 하시려고 하나님께서 허락하신 것이다. 이러한 것들이 예수 그리스도의 남은 고난 그의 몸 된 교회 위해 내 육체에 채우는 일들이다. 이 모든 일들 통해 승리하는 비결이자 능력의 근원은, 바로 내 안에 예수 그리스도 모신 것이며 이것이야말로 그리스도인 된 나의 행복이자 삶의 비결이다.

내 삶의 목적은 먼저 나의 삶을 예수 그리스도와 나눈 후 그분을 다른 사람들과 공유하고 점점 그 범위 확대됨에 따라 나의 자유의 영역도 점차 넓어져 감을 깨닫게 되었다. 과거의 모든 사건들이 나를 짓누르고 받은 상처들은 용서하지 못함으로 인한 사단의 속박, 그 안에서 느낀 좌절과 슬픔, 고통과 아픔, 분노와 두려움이 얼마나 많은 시간 동안 나를 사로잡고 짓눌러댔던가? 하지만 하나님의 온전하신 사랑이 능력되어 나를 자유하게 하신 것이다.

"도둑이 오는 것은 도둑질하고 죽이고 멸망시키려는 것뿐이요 내가 온 것은 양으로 생명을 얻게 하고 더 풍성히 얻게 하려는 것이라" (요한복음 10:10)

사랑의 심장

사랑

사랑은 설렘 가슴 뜀 아닌 오래 참음과 견딤
사랑은 소유 아닌 무한히 주는 것
사랑이란 이름 무례함 아닌 배려와 친절
사랑은 주고받음이 아닌 함께 누림
사랑은 시기 아닌 공동의 성숙
사랑은 성냄 아닌 자비와 긍휼
사랑은 미움 아닌 불쌍히 여김
사랑은 자랑 교만 아닌 겸손과 순종
사랑은 진리 안에 굳게 서서 기뻐하는 것
그 사랑 내 안에서 나 이끌어주시네.

하나님이 보여주시는 환상은 하나님 뜻이 구체적 영상으로 임하는 한 방법으로 점차 확장되어지는 것을 알게 되었다. 사람들 사이 대화도 상대방이 알아듣는 수준 이 될 때 정상적인 의사소통이 가능한 것처럼, 하나님께서 주시는 개인적 계시 역시 받을만할 때 주시는 것 같았다. 기독교에서 가장 강조하는 것은 사랑이다. 나 역시 항상 그리 말하곤 했지만 그 사랑은 내게 있는 것이 아니었다. 내가 하나님 사랑을 알고 체험하게 될 때, 바로 그 사랑을 남에게 줄 수 있었다. 네게 없는 것을 어떻게 남에게 줄 수 있는가? 하나님 사랑하고 이웃 사랑함이 모든 은혜의 통로이자 바른 길이다.

2007년 5월 22일에 보여주신 환상은 나를 번제로 하나님 앞에 온전히 드리니 나의 육체는 다 타버리고 심장만 남겨져 나를 마주한 예수님 심장만 보였다. 그리고 예수님 심장에 내 심장에 닿는 순간 나의 심장이 살아서 뛰기 시작했다. 또한, 내 심장에 닿는 사람들의 심장이 박동하기 시작했다. 이 환상의 의미 역시 사람을 살리는 일, 즉 그들의 영혼 구하기 위해서는 내가 주님 심장 박동 따라 함께 뛸 때 주님 사랑의 통로가 될 수 있음을 가르쳐주신 것이다. 참된 신앙은 믿음으로 시작하지만 사랑으로 끝난다.

나는 항상 성령님 음성 듣기를 사모한다. "하나님 말씀하옵소서 제가 듣겠나이다", "나 여호와가 세상 끝 날까지 너와 함께하리니 너는 두려워하지 말고 강하고 담대하라. 내가 세상을 이기었노라. 내가 너와 함께함을 기뻐하노라. 사랑하는 자야! 내가 네 소원의 만족함을 이루어 주리라. 너는 나의 눈동자니 누가 너를 건드리리요. 너를 대적하는 자는 나 여호와를 대적하는 것이며, 너를 공궤하는 자는 나 여호와를 공궤하는 자이니라. 너는 나의 승리의 깃발 든 자요, 나에게 승전보 알려주는 전령이니라. 오라 내가 너와 변론하리니 너의 죄가 주홍같이 붉을지라도, 흰 눈 보다 더 깨끗하게 씻어 주리라. 사랑하는 자여! 내가 너와 함께하노라. 기뻐하고 즐거워하라. 나를 기뻐하는 것이 너의 기쁨이니라. 나 여호와가 항상 네 앞서 싸울 것 이며 네 뒤에서 호위하리니 아무도 너를 건드릴 자 없으며 항상 승승장구하리라."

"아버지 사랑합니다. 모든 영광 홀로 받으소서. 당신은 저의 눈물 받으시며 경배의 대상이십니다. 세상에 주 같으신 이 없으시며, 저의 아픔 치료하시고, 저의 기쁨 승하게 하십니다. 주여 덮으소서. 주의 작은 계집종입니다. 아멘." 바로 이 사랑이 나를 숨 쉬며 살아가게 하는 유일한 원동력이다.

독수리처럼

독수리처럼

내 사랑하는 자야 너의 고난 끝나고 새날 밝아 오리라
내가 너 새롭게 하리라 새 힘과 능력 새로운 기름 부음으로
더 멀리 더 높이 날게 되며 더 깊이 쏜살같이 내려가리라
많은 것들 급속히 변화되며 새롭고 신선한 것들
하늘로부터 내려오고 땅의 것들 속박에서 풀어지리라
네게 부어지는 기름 부음 너만의 독특한 것으로
너를 채워 흘러넘치게 하리라.

어느 날 "네 눈이 보는 만큼 역사하리라" 하신 말씀은 독수리를 연상하
도록 했다. 바로 보고 멀리 보고 분별력을 가지는 것은 지혜로운 삶을
위한 중요한 조건이다. 사람 시력은 좋다 해도 보통 1.5정도에 불과하지
만, 독수리 시력은 4.5라고 한다. 때때로 나는 우편 어깨 위로 독수리가
앉아 있는 느낌을 가질 때가 있다. 자유로운 영의 비상은 독수리가 창
공 차고 오르는 비행 모습과 너무도 흡사하다. 독수리처럼 나는 자들은
시세를 아는 자들이며 흐름을 알고 멀리 보며, 높이 날아 적시에 먹이를
낚아채는 자들이다. 진리 안에서 자유로운 자들의 기도가 이루어 내는
멋진 모습이다.

약속의 길을 믿음으로 걸어갈 때 장정이라도 피곤하여 넘어질지라도 여호와를 앙망하는 자는 새 힘을 얻게 된다. 적시에 먹이 낚아챔은 바로 크로노스 시간을 카이로스 시간으로 바꾼 계시의 순간이다. 비전은 스스로 보는 것이 아닌 보여지는 것이다. 내가 갈 길을 모르고 방황하는 이유는 보이지 않음이고 알지 못함이다. 예수님처럼 우리 하나님 뜻 알고 보고 듣고 행해야 한다. 나는 본 만큼만 나갈 수 있고 아는 만큼만 행할 수 있다. 내가 거룩해지고 정결해지면 하나님 뜻이 보여지고 깨닫게 되어 행할 수 있으며, 심령이 비쳐짐으로 헤매지 않는다.

"좋은 것으로 네 소원을 만족하게 하사 네 청춘을 독수리같이 새롭게 하시는 도다." (시편 103편 5절)

영광의 의미

영광

당신 영광 담기 위해 같은 형상 모양

사람 만드시고 불어넣으신 영의 호흡

풍성함 누리라 주신 생명나무 열매 대신

금지된 선악과 먹어버린 인류 조상 죄

접근할 수 없는 생명나무 동산

당신 임재 떠나 빛 잃은 그 영광

만민에게 생명 호흡 만물 친히 주신 분

무엇이 부족하여 사람 손 섬김 받지 않으시지만

당신께로 오는 길 가르치시기 위해

땅에 당신 설계대로 성소 만드시고

이곳 나의 영광 볼 수 있는 에덴 표식이라

지성소 가린 휘장 수놓아진 그룹과 생명나무

수없는 타락 배도로 이방에 파괴된 당신 성전

결코 포기할 수 없으신 당신 크신 사랑

당신께 돌아오는 길 여시기 위해

말씀 육신 되어 오신 아버지 독생자 영광

하늘 높은 곳에서는 하나님께 영광

땅에서는 기뻐하심 입은 사람들 중 평화 되시려

친히 산 제물 되어 단번에 들어가신 하늘 성소

부활 승천하시어 내려오신 그 영

당신 이름 부르는 자들 안 친히 좌정하신 성소
십자가 없이 담을 수 없는 당신 영광
믿는 자 영광은 당신 형상 드러냄
하늘 가르고 강림하실 당신 영광
친히 뵈올 날 기다리며 이제나 저제나
지성소 휘장 열고 살피는 하늘
마라나타 아멘 주 예수여 어서 오시옵소서.

하나님께서는 나의 삶 2% 정도 부족함을 허락하시어 내 힘으로 살 수 없다는 고백 위에 하나님만 더 의지하며 신앙의 최고봉 향해 오르게 하신다. 그러나 나의 최종 목적지는 정상이 아니다. 정상에 올라 산 제물 되어 나의 심장과 연합된 예수님 심장으로 낮은 곳으로 내려갈 때, 내 짐은 가벼워지며 하나님의 영광만 드러나게 된다. 많은 이들이 높이 오르고자 할 때 십자가 짐 너무 무거우나 겸손하게 주님 마음 가지고 가난한 자, 헐벗은 자, 포로 된 자, 고아와 과부에게로 내려갈 때 우리 통해 하나님 영광만 드러난다. 하늘에서는 영광이요 땅에서는 기뻐하심을 입은 자들의 평화이다. 하나님께서 친히 육신 입고 이 땅 오신 것처럼 가장 높은 자가 가장 낮은 곳으로 내려오는 것이 바로 영광이다.

나의 육신을 성전 삼아 성령님 거하시는 것이 바로 하나님의 영광이시다. 이러한 영광을 위해 바로 나에게 기름 부어 주시는 것이다. 예수님 배에서 흘러넘치는 생수의 강은 평안, 감사, 위로와 함께 절망적이며 메마른 곳으로 흐르고, 죽음 가운데 흘러 들어가 생명을 가져오며 나무가 자라고, 물고기가 번성하고, 갖가지 과실 맺게 하신다. 주님은 누구든지 당신에게로 나와 주시는 물 마시는 자마다 그 속에서 생수의 강이 흘러나온다고 말씀하셨다. 이 물이 바로 하나님 임재 실어 나르며 생명 살리는 영광의 물이다.

하나님 영광은 예수 그리스도의 사역 위에 기초한다. 지성소 언약궤 안에는 길이요, 진리요, 생명이신 예수님 증거하는 아론의 싹 난 지팡이, 십계명 두 돌판, 하늘에서 내린 만나 담은 항아리가 있으며 이곳이 바로 하나님 임재 나타내는 카봇의 영광과 함께하는 자리이다. 이 영광 하나님은 찬송하는 자들 찬양 중에 임하신다. 지성소 로 들어가는 것, 주님과 함께하기 위해 하늘 영광으로 변모하신 변화 산으로 오르는 것이지만, 그곳에 집짓지 않고 주님처럼 민망히 여기는 마음 가지고 주님 같은 사역하는 장소가 바로 하나님 영광 함께하는 장소이다. 어떠한 형편과 처지에서도 결코 주님 얼굴 바라보는 시선을 돌리지 않는 것이 바로 하나님 영광이 머물게 하는 방법이며 영광에서 영광으로 나아가는 길이다.

"우리가 다 수건 벗은 얼굴로 거울을 보는 것같이 주의 영광을 보매 그와 같은 형상으로 변화하여 영광에서 영광에 이르니 곧 주의 영으로 말미암음이니라."

(고린도후서 3:18)

멋쟁이 하나님

멋쟁이 하나님

하나님 아버지 당신은 전능자 기묘자 모사시니
약속 주신 그 말씀 하나도 땅에 떨어지지 않고
제게 상주시며 가장 선한 길로 이끄시는 분
제 신음 소리 귀 기울이시고 일분일초 눈 떼지 않으시고
저를 보혈로 덮으시고 기름 부으셔서 당신 뜻 이루시며
제 머리카락까지도 세시며 보호 인도 하십니다
당신은 구원자 치료자 저 대신 싸우시는 승리자시며
제 생애 가장 멋지게 이끌어 가시는 멋쟁이 하나님
은총과 은혜 베푸시며 하늘의 좋은 것 땅의 풍성함으로
항상 채워주시며 인자와 자비로 대하십니다
제 존재의 근원이신 아름답고 귀하신 분 내 주여
지식과 지혜와 명철로 갈 길 밝히 보이시며
상한 갈대 꺾지 않으시고 꺼져가는 심지 끄지 않으시니
그 자비의 손길 아래 저 평안히 거하게 하십니다
세상 끝 날까지 당신 날개 아래 은밀한 바위틈에 두고
당신 옷자락으로 덮으소서 함께 하소서.

신앙생활을 하면서 사람들이 하나님에 대해 가지는 개념은 다양하다.
또한, 아버지라는 호칭 때문에 육신의 아버지와의 관계 따라 하나님께
접근하는 방식도 다양하다. 많은 사람들이 생각하는 하나님은 얼마나

축소, 왜곡되어졌는지, 사람들 사이 관계의 깊이는 대화의 깊이에 비례한다. 하나님과의 관계 역시 어린아이처럼 순수한 마음으로 나누는 대화를 기본으로 한다.

남편 목사님은 하나님을 항상 좋으신 하나님이라 말하고 느끼는데, 나의 하나님은 참으로 멋쟁이 하나님이시다. 우리 부부는 한 번도 하나님께 대해 어떤 일에서도 불평을 가져본 적이 없다. 나에게 역사하시는 하나님은 마치 이벤트 하시는 것처럼 중요한 일들은 꼭 나의 어떤 기념일에 행하신다. 뿐만 아니라 나에게 의미 있는 장소들은 반드시 다시 찾아보게 하시는 기회를 주셨다. 하나님은 다양한 방법을 통해 자신이 어떤 분이시라는 것을 보여주신다. 하나님께서는 나의 주의를 끌기 위해 지금까지 여러 모양으로 환경과 사람들 통해, 때로는 초자연적 방법으로 역사하셨다.

어떤 형편과 처지에서도 함께 하시는 하나님을 알게 되면서 점점 나는 그분 100% 신뢰하며 그분 원하시는 자리로 나를 이끄심 확신한다. 하나님께서 계속 내게 말씀하시고 보여주시고 이끄셨지만 내가 알아차리지 못하고 이해하지 못해 불순종하는 그 기간동안 얼마나 속이 상하고 마음이 아프셨을까? 또한, 성장시키려고 하시는 일들에 대해 깊은 뜻을 알지 못해 고통으로만 여긴 나의 모습이 얼마나 안타까우셨을까? 나 역시 자녀들을 키우는 부모이다. 자녀들을 키우면서 육신의 부모가 이해하듯이 이제 하나님의 나에 대한 한량없고 변함없으신 그 사랑 온몸 가득히 느끼게 된다. 내 삶 인도하실 하나님께 대한 기대가 무궁무진하다. 내 눈으로 보지 못하고, 내 귀로 듣지 못하고, 내 마음으로 생각하지 못한 일들 나를 통해 이루실 멋쟁이 하나님을 찬양하며 나 또한 하나님의 명품 되어 영광 올려드리기를 간절히 소망한다.

장교의 영

제가 할 일은

삶 이어갈 소망 없을 때 붙잡아야 하는 그것
당신의 저 향하신 약속
마음 짓눌려도 불러야 하는 나의 노래
당신 향한 나의 경배
목소리 안 나와도 소리쳐야 하는 이름
나의 구원자 예수 그리스도
마음 모래알같이 삭막할 때 드려야 하는 기도
당신 향한 나의 감사
갈 길 몰라 헤매일 때 보아야 하는
당신 인도하시는 손길
생의 목적 불분명할 때 찾아야 하는
당신의 저 향하신 그 뜻
내 혼 요동할 때 잠잠히 구해야 하는
내 영 안식 위한 당신의 얼굴.

신앙생활을 하면서 성령님 인도하심보다 율법적인 면을 더 치중한다든
지, 성경 말씀보다 전통을 중요시하고, 원칙과 교리를 더 강조하며, 하
나님과의 교통보다 보이기 위한 행위를 내세우는 것을 '종교의 영'이라
부른다. 믿음을 지키기 위해서 예수님도 꾸짖은 이것에 대적하고 선한
싸움을 싸워야 한다. 비슷한 어감이지만 언젠가 내게 장교의 영이 있다

는 말을 들은 적 있다. 군복 벗은 13년 후였지만 당시 나이 에 절반 되는 시간을 군에서 보냈으니 나에게 흔적이 배여 있을 수도 있었겠다. 명령 체계가 엄격한 조직이기 때문에 정말 힘든 상관을 만났을 때는 견디기 어려웠다. 일반 직장처럼 당장 사표 던지고 나갈 수 있는 게 아니고, 미리 6개월 전에 전역지원서를 내는 규칙도 있어 23년을 근무했다.

초등학교 시절 선생님이 한마디 하신 것을 두고 학교를 안 나가니 친정 아버님이 반을 바꿔주신 적이 있을 만큼 나는 싫은 소리 듣는 것에 예민 했다. 여중 시절부터 집 떠나 홀로 생활한 자주성이 그런 경향을 키워왔 을 수도 있었겠지만, 하나님의 인도하심 없이 육신의 분노나 비판의 마 음으로 순간적인 행동하는 것 대신, 신앙과 더불어 군 생활 통해 인내를 배움으로 악순환의 고리 끊고 자유를 얻게 하였다.

보통 여자들은 음식, 가족, 시집 일등 살림살이 얘기를 자주 나눈다. 나 는 상담할 때 외는 거의 그런 대화는 별로 흥미가 없고, 남자가 많은 사 회에서 생활한 탓인지 밖의 일에 더 관심이 많아 귀를 기울이고 대화하 는 것을 즐기는 편이다. 언니 오빠와 터울이 많이 지는 막내를 제외하 고 둘을 키울 때 보통은 아버지가 혼내면 어머니가 달래든지 하는데 나 는 엄격하기도 해서 어리광을 못 부린 애들 마음에 상처로 남았을 수 있 다. 전역 후 그동안 애들하고 떨어져 산 기간이 많았기에 애들 결혼 전 까지 같이 생활할까 의견을 물었는데 큰 애가 오랜 기간 떨어져 살아 정 이 없기 때문에 같이 살기 싫다 한 말이 계속 마음에 담겨져 있었다. 어 느 날 문득 나도 친정어머님에게 직접 말한 것은 아니지만 여중학교 시 절부터 집 떠나 살아 식구들하고 정이 없다고 말한 기억이 났다. 심은 대로 거둠을 새삼 느끼며 어린 시절 그 말에 대해 회개하고 세대 통해 흐르는 죄를 끊어냈다.

사관학교 시절이나 임관 후 내가 받은 교육은 사병과의 교제를 엄격하게 금지했다. 결혼 후 종종 내가 간호장교였음을 알게 된 사람들이 어떻게 사병과 결혼이 이루어졌는지 남편에게 호기심을 갖고 물어볼 때가 많다. 그럴 때마다 남편은 장교가 명령하여 꼼짝없이 사귀었다고 말하곤 하는데 손자를 본 지금도 마음이 불편해져 대화의 방향을 바꾼다. 그런데 2007년 3월 하나님께서 이 문제를 다루시기 원하셨다. "네가 그 사람과 결혼했기 때문에 나를 만나게 된 것이다. 네가 나 하나로 만족하지 않느냐? 내가 그를 왕 같은 제사장으로 세움으로 그로인해 너에게 왕후의 면류관을 씌워 주리라" 이 모든 것이 하나님 계획안에 있었음을 말해주신 것이다. 이제는 자녀들이 무슨 말을 해도 어린 시절 못다 한 어리광이라 생각하고 다 용납을 한다. 뿐만 아니라 목사님 사모 생활 30년이 넘으니 몸도 마음도 둥글둥글해지고 푸근해져 모르는 이들에게 말도 잘 붙이고 살림살이 얘기도 잘 듣는다.

창작활동

내 안에 흐르는 강

내 안에 강이 흐르네 에덴에서 발원하여
새 예루살렘까지 흐르는 강
그 강물 갈한 영혼 적시고 생기 흐르게 하여
깊은 곳 사장된 씨앗 움트게 한다
그 안 영원무궁한 생명 담겨 흐르는 곳마다
죽은 것들 살아나고 초목 열매 맺는다
내 안에 강이 흐르네 영원한 생수 발원지에서
굽이굽이 작은 시내로 그 긴 세월 졸졸대더니
이제 휘감아 도도하게 줄기찬 물줄기
온갖 세파 다 통과하며 넘실거리는 깊은 강되어
모든 것 다 쓸어 담는다
내 안에 강이 흐르네 그 오랜 세월 홀로 흐르다가
생명의 연 이어진 강물들 기다림에 지친 세월
함께 격한 포옹하며 합수되어 우렁찬 노래 부른다
다시는 헤어지지 아니하리라 바다 덮은 여호와 영광
온 세상 가득할 때까지 함께하리라.

2017년 1월 5일부터 영성소통 밴드를 개설해서 매일 아침 6시면 어김없이 글을 올린다. 내가 소속된 채팅방과 개인들 포함 평일은 200명, 주일은 250명 정도이다. 지금까지 책을 읽어오며 항상 요약정리하거나 글을 써온 나는 365일 묵상집과 워드 일곱 줄에 담아낸 인생 편지글을 완성하고, 진리가 너희를 자유하게 하리라, 말씀하시는 하나님, 하늘과 땅 사이, 유레카 한 줄 묵상, 하이쿠, 열정과 궁휼 사이에 좌정하신 하나님, 날마다 옷 입으며 등의 제목으로 시와 칼럼, 자서전, 수필을 연이어 쓰고 있다. 책을 읽고, 요약하고, 묵상하고, 기록하고, 가르치는 일은 50년 가까이 직장생활 하는 시간을 제외하고 가장 많은 시간을 할애하는 부분이며 하나님 나라 전파라는 목적을 가지고 사명감과 기쁨으로 진행한다. 2004년부터 써온 영성 일기는 매일 하나님과 교통한 기록들로 주의 말씀은 항상 발등을 비추어 주심으로 나의 걸음걸음을 실족하지 않도록 해주신다.

자신이 가장 행복하게 여기며 많은 이들에게 영향력을 줄 수 있는 방법으로 하나님나라 전파하는 것을 부르심으로 여긴다. 또한, 거주의 경계를 정해주신 하나님께서 보내신 곳 만나는 사람들에게 하나님 나라를 전파하는 것이 우리에게 일하라 주신 직장이요 입혀주신 제복들이다. 남편 목사님은 그동안 조소도 하고, 목공도 하고, 작품 생활하며 만나는 사람들을 섬기고 복음을 증거한다. 지방회 목사님들 교회에 십자가, 헌금함, 필요한 물품을 만들어 헌물하며 기쁨으로 여긴다. 브살렐과 오홀리압 이들은 구약 회막 기구를 만든 일꾼들로 직접 하나님께서 지명하시고 지혜와 총명주신 최고의 장인들이다. 남편 목사님에게 이러한 기름부음 주시기를 하나님께 기도드린다.

하나님의 비밀병기

하나님의 비밀병기

지존자의 날개깃 아래 임재의 옷자락 덮여
오롯이 당신께 산 제물 되어
나와 내 집 오직 여호와만 섬기겠노라
결단하고 성전 입구 선 자들
각자 물맷돌 가지고 하늘 식양과 전략으로
하나님 나라 건축하는 세상에 감추어져
비천한 자 같으나 하늘 앉은 자들
당신 음성 수신기 삼아 들은 대로 말하고
본대로 움직이는 무명한 자 같으나 유명하며
천사들도 부러워하는 자들
당신 긍휼하심과 자비의 심장 만지며 함께 뛰고
순전한 비둘기 눈매로 당신 선하심 바라보며
주신 약속 소망 두고 당신 때 보기 기뻐하는 자들
오직 아멘으로 아름다운 보석되어 등불 기름 담아
새 예루살렘 건축하는 빛의 자녀들
나의 나 된 것 오직 당신 은혜 빛도 이름도 없이
당신 깃발 들고 묵묵히 전진하며 당신 안 거하는
당신 향한 나침판 표시된 자들 당신의 비밀병기들.

요즈음 나는 눈을 감으나 뜨나 전쟁터 있는 나의 모습 바라본다. 내 장막 전쟁터 막사요 그 막사 안 한 편 나의 갑옷이 걸려있다. 때로는 막사 입구에 기대어 서서 파발마가 가져오는 소식을 애타게 기다리며 하루 종일 서 있는 모습 본다. 나는 무엇을 기다리고 있는가? 때로는 말을 타고 선제공격으로 적군 진영을 뚫고 나가며 교란시키고 나를 태운 말 콧김 세게 내뿜으며 두 앞발 위로 치켜서 있다. 나의 뒤를 쫓아오는 우리 군사들의 진격을 위해 기름 든 한 손 앞을 향해 흔들며 독려하는 모습도 본다. 이것은 무엇인가?

그러나 한편 나의 모습은 하나님 보좌 발등상 앞에 엎드려 있고 헤진 무릎이 보인다. 어느 누구도 나를 일으켜 옮기지 못하며 그곳은 오직 내 자리다. 언제까지 그곳에 엎드려 있을 것인가? 감추어진 하나님 계시가 열릴 때 나는 나의 두개골 상반부 뚜껑 열리는 것을 경험한다. 빛도 아니고 이슬도 아닌 것이 하늘에서 쏟아져 내려올 때 통찰력 생기고 순간적으로 깨달아진다. 이 모든 것들은 내가 있는 곳이 바로 영적 전쟁터임 말해주는 것이다.

그리스도의 영적 전사들은 영적 복장과 무기를 갖추어 전략적으로 각자 영역에서 십부장, 백부장, 천부장, 장관 위치에 서서 싸워야 한다. 항상 깨어 무시로 성령 안에서 구하고 하늘과 땅의 권세 그리스도 안에서 받았음을 알고 하늘의 것들을 가져다가 이 땅 이루는 자들이 되어야 한다. 우리 싸움은 혈과 육에 속한 것 아니고 사단과 악한 영들과의 전쟁으로 사람 대상으로 싸우지 말고 주님처럼 그들 민망히 여기며 사랑하고 용서하며 긍휼로 대해야 한다.

하나님 자녀들은 그리스도와 함께 장사되어 부활한 자들이며 세상에 대해서는 죽은 자들이다. 당신은 하나님 군사로 징집되었다. 복장 갖추고 무기 사용법과 전술 훈련 받아야만 한다. 왜 벌거벗고 다니며 사방팔방 쏘아대는 사단 불화살에 상처 입고 쓰러져 신음하고 있는가? 사단 우는 사자 같이 우리를 집어삼키려 울부짖으며, 한 사람이라도 하나님 자녀들 쓰러뜨리려 필사적임에도 불구하고 우리는 세상이 좋사오니 하며 전혀 무방비 상태로 먹고 마시며 자기만의 모래성 쌓고 있다.

이제 당신들 하나님께서 비밀병기로 쓰시고자 부르시고 계신다. 하나님 비밀병기들은 예수님께 전적으로 드려진 자들이며, 그 부르심에 순복하고 주님 이끄심에 전혀 거부감 없이 베드로처럼 주님께서 띠 띄워 데리고 다니시는 자들이다. 하나님의 비밀병기들은 깨어 기도하는 파수꾼이며, 사단 궤계에 해박하며 적의 허 찌르고 사단 궤계 무효화시키는 자들이다. 그들은 중심 보시는 여호와를 마음 다하고 뜻 다하며 사랑하는 자들이다. 이들 사람들에게 드러나려는 욕망 없이 오직 하늘 보좌향하여 경배드리며 하늘 뜻 이 땅 펼치고 아버지께서 주신 각종 열쇠로 묶고 푸는 자들이다. 그들이 이기는 전쟁을 위해 위로부터 내려오는 각양각색 선물들 간절히 사모하지만 그 선물보다 더욱 더 하나님만 간절히 사모하는 자들이다.

그들은 하나님께서 너를 필요로 하신다며 동역하시기 원하시는 자들이며 당신의 어떤 비밀도 알려주시기 원하는 자들이다. 그들 육신의 눈보다 초자연적 시각이 탁월하고 익숙하며 위로는 하늘 보좌 아래로는 무저갱 세계까지 두루 보는 자들이다. 그들 귀는 항상 하나님께 주파수가 맞추어져 있어 언제 어떤 상황이든지 하나님 음성 듣는 자들이다. 그들 하나님 아버지 마음 아는 것 제일의 계시로 삼으며 아비 어미 마음 가지고 주님 자녀들에게 신령한 젖 먹이는 자들이다. 그들 오직 여호와만을 경외하며 어떤 상황에서도 여호와만 의지하는 시험 통과한 자들이다. 그들 핍박받고 비난받고 배신당하고 무시당하나 그 과정을 통해 그들을 용서하고 용납하고 사랑하는 훈련 과정 통과한 이들이다. 그들은 깨어있지 않아 적에게 속임 당하고 패배했던 것들 애통히 여기며 결단코 깨어있으리라 다짐한 자들이다.

그들은 하나님 아버지의 온전하신 사랑을 알며, 그 사랑 안에서 참된 평안을 누린다. 그들은 모든 것을 하나님 영광에 초점 맞추고 생활하는 자들이다. 그들은 하나님께서 예수님께 하신 것처럼 자신들 역시 동일하게 대하실 것을 아는 자들이며, 그들 또한 예수님처럼 하나님 아버지를 대하려는 자들이다. 하나님의 비밀병기들은 원수를 완전히 물리치고 완전한 승리를 얻기까지 결코 멈추지 않을 것을 헌신한 군대로서 약속대로 끝까지 싸워 승리하는 자들이다. 이 군대에 합류시키시기 위해 하나님께서 나와 여러분을 부르고 계신다. 우리는 하나님 전략안에 숨겨져 있는 하나님의 비밀병기들이다.

천상배필과 중심 보시는 하나님

나의 아버지 신랑 친구시여

당신은 광대하시며 말씀 일점일획 변함없으시고
당신 약속 하나도 땅에 떨어짐 없습니다
저의 믿음과 근원 사랑 다 당신께 있습니다
나의 아버지 신랑 친구시여
저의 간증과 가문 자자손손 통해 영광 받으실 주님
당신 생육하고 번성하라 축복하시고
제게 항상 아멘이요 예이신 분
나의 아버지 신랑 친구시여
모든 경배와 찬양받으시기 합당하신 분
당신 인자와 긍휼 자비와 은총 속히 보이소서
사랑과 경배와 영광과 송축과 감사드립니다
나의 아버지 신랑 친구시여.

2013년 1월 26일, 친정어머님 팔순이셨다. 행사 요원도 불러 진행하며 2남 4녀 자식들과 손주들과 지인들이 모두 함께 모여 축하연을 했다. 일찍 타계하신 친정아버님 빈자리가 너무나 크게 느껴졌다. 38년 동안 홀로 살아오신 어머니는 자녀들과 손주들 절을 받으시며 희노애락의 모든 감정 파노라마처럼 지나가시는 듯 약간 눈물 고이신 눈과 엷은 미소로 지그시 바라보셨다. 자손들이 모두 나와 어머님 은혜라는 합창을 할 때 나는 아까부터 신경 쓰여 힐긋힐긋 바라보던 아가씨에게 눈길이 갔다. 아들이 행사장 들어올 때 함께 동반했는데 식을 진행하느라 바빠 특별한 소개는 없었다. 그녀가 눈물 훔치는 모습을 보고 그 마음에 효심이 있구나 하고 생각했다. 서울에서 직장생활을 하는 아들은 식이 끝나고 인사하며 특별한 말없이 헤어졌다.

그때는 김해에서 남편이 목회하고 있었고 아직 말도 있는 우리 집은 삼랑진 축사가 있는 곳에서 살고 있었다. 3층 교회 사택으로 이사를 결정한 후 예배 있는 날마다 조금씩 짐을 옮겼다. 걸레질을 하며 방을 닦고 있을 때 환상이 열리는데 3층에서 피가 차오르더니 3층, 2층 계단을 지나 1층 교회까지 피가 차올랐다. 또한, 성령님께서 "네가 이곳에 사는 동안 네 자녀들을 다 출가시키리라"고 말씀하셨다. 그동안 말도 정리하고 한 달쯤 지나 이삿짐 차를 불러 마침 수요 예배 있는 날이라 부지런히 짐정리 하는 데 연락도 없이 아들이 들어오며 그 뒤따라 어머니 하며 전에 보았던 아가씨가 들어왔다. 집도 어수선하고 예배 시간도 다가와 저녁을 먹이고 급히 헤어졌다.

예배 시간이 다가와 숨 고를 새 없이 교회에 들어와 앉은 나는 눈감고 잠시 묵상기도 하는데 "천상배필"이라는 성령님 음성이 들려왔다. 그 뒤 우리 부부는 그 어느 것도 묻지도 따지지도 않고 단지 아버지 목사님 당부는 신앙생활, 십일조 생활할 것과 부모님 생활에 대해 특별한 신경 쓰지 말고 경제적으로 자립해서 살아가라는 것이었다. 그렇게 아들은 2013년 12월 24일 결혼식을 치렀고, 2남 1녀 아버지가 되었다. 그 뒤 부산에서 살던 큰딸이 집으로 들어오게 되고 지인에게 소개받은 청년과 사귀게 되었는데 당시 성령님께서 "중심을 본다"고 말씀하셨다. 아들 결혼 3년 후 2016년 12월 10일에 딸은 결혼식을 치렀다. 며느리, 사위 모두 침례 받고 큰 딸 부부는 집사 임직도 받았다. 한편, 서울에서 직장 생활하던 막내딸은 말티즈 강아지 세 마리를 키웠는데 세든 집마다 막내 딸 출근 후 짖는다는 소리에 마음이 힘든지 집으로 내려오라는 말에 김해로 내려와 지금도 함께 생활하며 부산에서 개인 숍을 운영하며 출퇴근한다. 나는 경건한 배우자를 만나기 기도하며 하나님께서 전에 이 집 사는 동안 나의 자녀들을 다 출가시키신다는 그 말씀 하나하나 이루어지는 것을 체험하였다.

뒤를 돌아보라

그릇

토기장이 만든 다양한 그릇들
크기 모양 다 다르고 투박함과 공교함 각가지
어느 날 눈 열려 보니 나는 오물투성이 그릇
때 덕지덕지 쩌들어 무얼 담아도 더러울 뿐
마음먹고 그릇 닦아 새 물 담기 시작하고
그 물 비친 내 모습 바라보며 자족했지만
그릇 한 번 흔들리면 우러난 흐린 구정물
비친 나의 모습 일그러져 기묘한 따름
애통하고 상한 마음으로 하늘 바라보니
눈 열려 보이는 바로 곁에 있는 생수의 샘
내 그릇 담을 때는 너무 더러워
목마른 자 한 모금도 줄 수 없었는데
생수 바가지 되어 오가는 사람들 하나둘 권하다가
나는 아예 그 샘물 곁자리하고 이야기판 벌였네
이 물 너무 맛있지 않아 정말 정결하고 미네랄도 많아
아무리 퍼내고 퍼내도 마르지 않아
힘겹게 걸어온 길 이 한 모금 마시라
내 그릇 우러난 물 권할 땐 그리도 부끄러웠는데
영원히 샘솟는 생수 마시고 새 힘 얻는 얼굴들 보며
내 바가지 다 닳아지는 아픔 미처 못 느꼈다네.

성경의 출애굽기 33장 23절에는 모세가 여호와의 영광 보고자 원할 때 하나님께서 모세에게 얼굴은 보지 못하나 등을 보게 될 것이라고 말씀하시는 내용이 있다. 하나님께서는 우리 인생의 여정이 지나온 흔적을 뒤돌아보고 치유되기 원하신다. 나의 신앙 여정 역시 다음 단계로 이끌어 가실 때마다 치유하셨다. 하나님 앞에 가까이 나가 그분께서 주시는 새로운 계시를 받기 위한 영적 성숙함에 이르기 위해 점차 온전한 모습으로 나가는 여정은 필수적이다. 하나님께서 나를 확장시키시고 새로운 영역으로 나가기 위한 기름 부음을 주시기 위해 준비시키시는 과정은 다양했다.

뒤돌아보면 나를 고통스럽게 한 모든 결핍은 하나님 앞에 나가는 은혜가 되었고 여호와의 등만 보이는 간절함 시기가 지나 당신 얼굴 앞에 서게 한 귀한 선물이었다. 친정아버님 질병과 퇴직으로 인해 여중 시절 학업을 중단할 뻔한 위기의 순간은 나에게 상처가 되었지만, 이는 내 배움의 욕구가 되어 사역학 박사과정도 마치도록 했고 아직도 끊임없이 배움에 정진하게 한다.

나를 자랑스러워하시던 친정아버님이 뇌수술 후유증으로 반신마비 상태로 지내실 뿐만 아니라 인격의 변화까지 와서 어린 시절 내가 생각하던 아버지 모습 점점 잃어갈 때 느끼던 내 마음속 깊은 고통과 아픔. 이 역시 동일한 육체적, 정신적 고통 겪는 이들 볼 때 깊은 연민의 정을 느끼며 그들을 위한 사랑의 통로가 되고자 하는 깊은 열망 역시 상처가 승화되어 은사되게 하신 것이다.

여중 시절부터 부모님을 떠나 기숙사 생활을 하며 소풍 때마다 집에서 도시락 싸오는 친구들을 부러워하며 같이 먹자고 내 것까지 싸오던 친구들 있었음에도 왠지 우울하던 순간들도 일용할 양식 공급하시는 하나님을 경험한 후로 그 어느 것도 나를 의기소침하게 만들지 않았다.

친정아버지의 경찰 제복에 익숙하여 거부감 없이 들어간 국군간호사관학교 해부학 시간 느꼈던 인생 무상함으로 적응이 안 되어 한동안 심적 방황했던 그 시절도 세월 지나 하나님께서 주신 천직임을 알게 되어 지금까지 50년 넘게 간호직에 종사한다. 그동안 겪었던 많은 일들과 근무지는 나를 만들어가며 앞으로 통합된 사역을 위한 훈련 장소이자 경험이 되었다.

나는 결혼 후 아주 오랜 기간 마음에 안타까움을 가지고 살아왔다. 일찍 결혼을 결정하고 열심히 살아서 친정을 도와주어야 한다는 장녀로서 마음의 부담은 가족들의 연이은 질환 뒷바라지와 교육시켜야 하는 의무감에 밀려 뜻대로 되지 않았던 것이다. 그래도 친정 식구들 모두 우여곡절도 많았지만 주님 안에서 모두 신앙 생활하며 하나님 향한 뜨거운 마음과 하나님만 의지하며 걸어가는 한걸음 한걸음이 나를 위로해 준다.

1남 2녀 자녀들을 키워오며 나는 어디에 있든지 살아만 있어도 감사하다는 마음을 갖게 되었고 그들 역시 하나님 자녀로 나를 지금까지 인도하시고 돌보신 은혜가 함께 하신다는 평안 중에 거하며 모든 것을 맡겨드렸다. 금혼식을 2년 앞둔 지금, 결혼생활 동안 수많은 사연들이 있지만 나는 그로 인해 하나님 앞에 더 나아갔으며 모든 것들을 합력하여 선을 이루시도록 역사하셨다.

사람에 의지하지 않고 사람에게 인정받으려는 마음을 없애기 위해 하나님께서 붙이신 수많은 사람들 역시 나의 온전함을 위해 내 인생에 등장한 단역 배우들이다. 지난 시절 뒤돌아보면 나의 우묵한 상처 모두 터지고 생수의 강 흘러넘치게 되었다.

내 안에 두신 꿈

사계

날의 지남 달력 아닌 철 따라 피는 꽃들로 인식한다
봄 여름 가을 겨울 대부분 차창으로 스쳐보고
가끔 걷던 길 멈추거나 작은 뜰 때로는 베란다 정원
해마다 어김없이 제 본분인 양 피어나는 꽃들 보며
아름답다 감탄하는 사이 살 같이 흐르는 세월 따라
함께 달려가는 인생 사계 유년 청년 장년 노년
시절 좇아 피는 꽃과 달리 다시 되돌릴 수 없는 시기
때마다 이루어야 하는 과업 승패 여부 따라 나뉘는 행불행
노년의 판가름 심은 대로 거두는 법칙 예외 없고
말로 뿌린 씨 거두는 시기 모진 풍상 속 한 송이 꽃 되어
맺은 씨 바람에 날려 하늘까지 닿아 영원을 누리리.

노년에 들어 꾸는 꿈이 아름다운 것은 진정 자신이 하고 싶은 일이 무엇인지 깨달았기 때문이다. 누군가 나에게 하라고 재촉하는 일이 아닌 스스로 걸어가는 듯 같지만 내 심령 깊은 곳 끊임없이 솟구치는 맑은 샘물 같은 물줄기와 함께하는 흐름이다. 내가 왜 태어났으며 무엇해야 하는 사람이며 그동안 내가 함께 했던 그 모든 사람들과 환경과 형편과 처지에 대해 분명하게 깨달아질 때 자신이 살아가는 의미 발견하며 마무리하는 발걸음 한 걸음 한 걸음 상쾌해진다.

내가 무엇 할 때 가장 의미 있는지, 언제 보람있는지, 행복한 감정과 평안은 어떻게 찾아오는지 이 모든 내면의 영역 유지하는 것은 삶을 풍성하고 아름답게 한다. 해를 거듭할수록 이타적 되며 공감하며 위로하고 격려하는 삶 살아가는 것은 나와 동시대, 같은 영역 안의 사람들과 나눌 수 있는 최상의 선물이다. 지금까지 나의 모든 것들은 거름되어 피워내는 한 송이 들꽃과 같다.

나는 피조물이며 하나님은 창조주시다. 그분이 육신 입고 이 땅 오셔서 그 모든 것을 겪으시고 나를 구속하셨다. 뿐만 아니라 예수 그리스도께서 부활 승천하셔서 신랑으로 오시어 신부된 나를 영접하러 오심에 나는 오늘도 마라나타 아멘 주 예수여 어서 오시옵소서라며 기다린다. 예수님께서 승천하신 후 이 험한 세상에 혼자 두지 않으시고 성령님을 친구로 보내시어 나의 모든 길 지금까지 인도하신다. 이는 웬 은혜이며 감격인가? 나는 주님처럼 하나님 나라를 가르치고 전파하고 치유하는 것을 인생 제일의 목적으로 여긴다. 한때 나는 이 능력을 얻기 위해 기회만 되면 놓치지 않으리라 노력한 적 있다. 그러나 나는 환상 중에 그 일이 나에게는 주님 심장 떼어 나누어 주는 일임을 보았기에 그 생생한 전율을 통해 그 일은 생명을 나누는 일임을 깨달았다. 하나님의 형상 따라 지음 받은 사람들에게 그 형상을 회복시키고 그들을 말갛게 씻겨 보살피고 주님의 아름다운 신부로 점도 흠도 주름도 없이 준비시키는 것도 나의 사명 중 하나다. 나는 내게 주신 달란트 땅속에 묻지 않고 30배 60배 100배 증가시키려 때를 얻든지 못 얻든지 최선을 다해 성실한 삶을 살고자한다. 주님 돌아오신 후 결산할 때 "잘했다, 내 충성된 종아" 이 한 마디면 족하다.

3rd Age

성공적인 삶

타인 판단 아닌 자신만의 반추로 결정되는 삶의 의미
지나온 삶 뒤돌아보며 자족할 때 진정한 성공이라 하겠지
물론 후회도 있고 잊고 싶은 순간들도 있었지만
이를 어찌 우연이라고만 말할 수 있을까?
인생 마무리하는 순간 주님처럼 다 이루었다라고
선포할 수 있기를 소망한다
평범한 인간 무엇을 계획하고 소망했을지라도
소망 그 자체로 행복한 일이다
그마저도 없이 무의미한 시간 지루하게 걸어간
발자취들 너무 많으니까.

세상이 달라졌다. 100세 시대가 되어 각각의 사람들이 인지하고 행동하는 양상들이 다양하다. 가장 오래 입은 나의 간호복은 50년이 다 되어가고 지금 근무하는 요양병원에는 내 나이보다 젊은 분들도 입원해 계신다. 근무처에서 갑자기 정년 폐지 설문조사를 하더니 정년도 없어져 나는 언제까지 근무하게 될지 아직은 가늠을 못하겠다. 직장생활은 규칙적 삶을 유지하게 하며 시간을 규모 있게 활용하게 하고 외모도 신경쓰게 하며 삶도 풍요롭게 하고 독립적 경제생활도 하게 하는 등 장점이 많다.

지나온 삶을 반추하며 글을 엮어오는 도중에 미처 기억하지 못했던 일들이 마음에 잔잔한 파고를 일으킨다. 하나님께서 내게 약속하셨으나 아직 이루어지지 않은 내용들도 기억나고 내가 노력했으나 완성시키지 못해 미련이 남았던 일들이 점차 내 가슴을 파고든다. 지금 시작해도 늦지 않을거야 마음속으로 다짐도 해보고 갈등도 느끼는 지금이지만 우선 시작해 보려 한다. 성경 마태복음 22장 14절의 '청함을 받은 자는 많되 택함을 입은 자는 적으니라'라는 말처럼 나는 택함 입은 자가 되고 싶다. 이는 온전히 내 몫이기 때문이다.

남편 목사님은 2023년 8월부로 기독교한국침례회에서 은퇴했으나 소속된 부산중지방 준회원으로 오랜 시간 같이한 목사님들과 교제의 나눔을 계속 유지하기로 했다. 우리의 목양 활동은 더 범위를 확대하며 많은 이들에게 복음도 증거하고 친교도 하며 멘토의 역할도 세대를 넘나든다. 마침 오늘은 2024년 설명절이라 아들 딸 사위 며느리 손주들로 집안이 가득하다. 내 인생에 가장 중요한 바람 있다면 자손들이 우리 신앙의 어깨를 딛고 올라서 하나님 경외하는 가문 되는 것이다. 빌헬름 스테겔의 말처럼 거인의 어깨 위에 선 난쟁이가 거인보다 더 멀리 더 많이 볼 수 있는 법이다.

'네 집 안방에 있는 네 아내는 결실한 포도나무 같으며 네 식탁에 둘러앉은 자식들은 어린 감람나무 같으리로다.' (시편 128편 3절)

나가는 말

첫 단추

항상 첫 단추 잘못 채운 듯 살아왔어
고장 난 지퍼같이 올리지도 내리지도 못하고
내 몸 맞지 않아 보기 싫게 어그러진 옷 입은 듯
그런데 어느 날 문득 생각해 보니
왜 꼭 단추로 지퍼로 여미고 살았지
좀 풀어버리고 입어도 되잖아
속옷이 보이면 어때 속살이 좀 보이면 어때
꼭 가려야 하나 깨끗이 씻었으면 되었지
뭐 남 안 가진 것 가지고 있나
벗어버리지 못한 옷 입고 꽁꽁 싸매고
속 감추고 살았어도 혼자만 토굴에서 살았지
남 보기엔 눈 가리고 아웅 이야
어린아이처럼 자기 눈만 가리면 남 못 보는 줄 알지
비뚤어진 옷 화려하게 치장하고 종횡무진 하였어도
남 보기엔 외줄 위 공중재비 넘는 광대처럼
아슬아슬해 보였을 따름이야
이제 좀 여유 가져도 되겠지
옷자락 늘어져 단추와 상관없이 길이가 엇비슷해
사실 사람들 제 갈 길 바빠 아무것도 못 보았더라고
괜히 나 혼자만 가리고 여미었을 뿐이지

그러고 보니 네 옷도 올 풀리고 구멍 나 있었구나
친구야 언제 만나 온천이라도 가자
홀가분하게 아예 벗고 만나 회포를 풀자
우리 뭐 남 안 가진 것 같고 있나.

이 나이쯤 되면 새로운 추억 만들기보다 지나온 추억 가꾸는 일이 얼마나 소중한 것인지 깨닫게 된다. 어렵고 힘들 때 소중한 힘주었던 이들에 대한 잊지 못할 감사의 마음과 기도로밖에 갚을 수 없는 여러 정성들에 대한 보은. 남겨지는 족적들도 타인의 심령과 뇌리에 새겨지는 그런 발걸음이 되기를 바랄 뿐이다.

주님께서는 남은 생을 살아갈 새 힘을 주신다. '사랑하는 자여 내가 나에 대한 너의 사랑을 아노니 내가 기뻐하노라 사모의 마음 나를 삼키며 경배의 영 너와 함께 하도다 사람들의 나 여호와에 대한 오해와 그 사랑의 깊이, 넓이, 높이, 길이를 알지 못함에 네 심령이 상하는 도다. 주님의 신부들아! 돌아오라 깨달아 알라 그 사랑의 향기에 취하라 허무하고 썩어질 것에 마음 두지 말고 나를 기뻐하는 것 너희의 유일한 힘이니 너희는 힘써 나 여호와를 알라.'

논어의 옹야 편에서 공자는 '지자요수 인자요산'이 이라는 말을 했는데 즉 지자는 물을 좋아하고 인자는 산을 좋아한다는 뜻이다. 인자는 원칙을 지키듯 제 자리에 머물며 지자는 사리에 통달하여 정체하지 않고 두루 흐름이 물과 같다는 의미이다. 아주 어린 시절 집집마다 옷 보따리 싸들고 시골로 돌아다니던 한 아주머니가 나를 보고 곁에 요강이라도 두어야한다던 말이 아직도 나의 뇌리에 남아있다. 지금 생각해보면 성질이 불같이 치받아 오르니 이를 중화하기 위한 물의 기운이 필요하다는 의미로 좀 아는 소리를 한듯하다.

각설하고 나는 바다를 좋아한다. 속이 후련하기도 하고 물에 비치는 햇빛 반짝이는 모습 볼 때마다 몽환적인 기분이 들기도 하고 아름답게 보인다. 직장을 그만두면 나만의 백사장 있는 곳 자그마한 집에서 물 바라보며 글을 쓰고 싶다는 소망이 강하지만 여건이 안 되는 지금 주로 글을 쓰는 방 양 벽에 제주 성산일출봉 사진과 동해안 낙조 사진 두 점 걸어놓고 대리 만족을 하고 있다.

어느 날 아침, 글 쓰려 컴퓨터 자판기 앞 앉았을 때 문득 생수의 강이신 주의 영이 내 안에 계시고 나를 적시어 주시는데 내가 자연 세계의 물을 그리워하는구나라는 생각이 들었다. 그분은 믿는 자마다 배에서 생수의 강이 흘러나온다고 말씀하셨으니 내가 가는 곳마다 만나는 사람들을 갈하지 않도록 시원하고 후련하게 해주는 것이 가능하다. 이는 온전히 그분 말씀 믿음으로 나타나는 능력의 역사이다. 삶의 어느 시기에 한 단락을 회고 정리하고 새 출발 할 수 있어 나도 마음이 상쾌하다. 나에게는 아직도 꿈이 있으며 가고자 하는 곳이 명확할수록 앞으로의 삶의 길에서 방황하지 않으리라는 목표 의식이 나를 그곳으로 인도하리라.

'내가 달려갈 길과 주 예수께 받은 사명 곧 하나님의 은혜의 복음을 증언하는 일을 마치려 함에는 나의 생명조차 조금도 귀한 것으로 여기지 아니하노라.'

(사도행전 20:24)

제복의 여인

치유와 영성의 길을 걸었던 한 여인의 회고록

발행일 | 2024년 3월 28일

지은이 | 김형선
펴낸이 | 마형민
디자인 | 김안석
기 획 | 신건희
편 집 | 김현주
펴낸곳 | (주)페스트북
주 소 | 경기도 안양시 안양판교로 20
홈페이지 | festbook.co.kr

ISBN 979-11-6929-465-2 03810
값 18,500원

* (주)페스트북은 '작가중심주의'를 고수합니다. 누구나 인생의 새로운 챕터를 쓰
도록 돕습니다. Creative@festbook.co.kr로 자신만의 목소리를 보내주세요.